Oscar Estrada

El pescador de sirenas
Óscar Estrada
Primera edición, 2019 ©
Diseño de portada de Mario Ramos.
Fotografía de portada de Delmer Membreño.
Diagramación y cuidado editorial de Casasola Editores.
Revisión del texto hecha por Albany Flores Garca.
268 páginas. 5.5" x 8.0" (13.97 x 21.59 cm)
ISBN-13: 978-1-942369-32-5
ISBN-10: 1-942369-32-8
Impreso en Estados Unidos

Casasola LLC
1619 1st Street NW Apt. C Washington DC 20001
Apartado 2171, Tegucigalpa, Honduras

casasolaeditores.com
info@casasolaeditores.com

El pescador de sirenas

Óscar Estrada

www.casasolaeditores.com

Óscar Estrada (Honduras, 1974)

Guionista, novelista, abogado y cineasta, graduado por la Escuela Internacional de Cine y TV de la Habana, Cuba. Actualmente dirige el periódico digital elpulso.hn. Ha sido productor de radio-novelas que abordan la temática de salud sexual y reproductiva y del documental *El porvenir* (2008); ha publicado la novela *Invisibles, una novela de migración y brujería* (2012); *Honduras, crónicas de un pueblo golpeado* (2013) y la colección de cuentos *El Dios de Víctor y otras herejías* (2015). Como editor ganó los premios International Latino Book Awards por el libro *Vidaluz Meneses: Flame in the air* (2013) y Best Cover Design and Best Poetry Book Multi-Author 2016 del International Latino Book Awards por el libro *Women'Women's Poems of Protest and Resistance. Honduras (2009-2014)*.

A mi hijo: Owen Galel
porque hay hombres que crecen con alma de niño.

El pescador de sirenas, novela de Óscar Estrada: al rescate de Juan Ramón Molina

«No hubo modernismo sino modernismos». Con estas palabras José Emilio Pacheco (1939–2014) inicia su prólogo a la *Antología del modernismo* (1970), un compendio de los poetas mexicanos exponentes del movimiento. En su vertiente continental —hay modernistas en toda Hispanoamérica—, el Modernismo fue el primer Boom, el Big Bang de la literatura hispanoamericana.

Constituidas desde principios del siglo XIX las antiguas colonias españolas como naciones independientes, el escritor de esta orilla del Atlántico se vio emancipado de sus tareas politiconacionalistas. Así, el Modernismo surgió con el desplazamiento del escritor a un terreno «particular» o individualizado desde el que dirimió, como aún lo hace, asuntos éticos, pero ya no desde la liberación política ni desde la palestra de un congreso hispanoamericano.

La mayoría de los modernistas fueron incansables viajeros, y en su afán de conocer el mundo gracias al adviento del barco de vapor, llegaron a las grandes urbes europeas. Como los parnasianistas y simbolistas, los modernistas vieron con recelo y temor la monstruosidad en que se habían convertido las ciudades industrializadas, imbuidas en el delirio del progreso. Para alarma y espanto de los nuevos poetas, la naciente burguesía, dueña del poder económico, mudaba sus gustos con extrema rapidez y siempre bajo la idea de confort.

Sobre la rígida carátula del mundo decimonónico yacía la Revolución Industrial, el gusto estandarizado y el Positivismo, que abogaba por el conocimiento científico como única verdad, por la felicidad y el desarrollo. No obstante, para el artista finisecular nada esto resolvía el horror, la mentira, la corrupción y la lucha del hombre contra el hombre. El siglo XIX fue el siglo en el que surgieron los conceptos de alienación, neurosis, angustia e histeria.

Desesperados, los modernistas posaron la mirada en la antigüedad, la Edad Media y el Barroco. Tanto sus poemas como su cuentos, crónicas y novelas fueron, en su anhelo de dar cuenta de un presente que los atribulaba, una auténtica renovación del humanismo renacentista.

En la poesía modernista asistimos a la restitución de metros y formas de versificación en desuso desde el ocaso de la Edad Media española. Así, desde el fondo de los años, mediados por los hallazgos barrocos, nace con un nuevo cariz lo que es debido llamar la primera literatura panhispánica.

Los oídos de los hispanohablantes finiseculares debieron estremecerse al escuchar, por primera vez en muchos siglos, heptasílabos, eneasílabos, dodecasílabos, tridecasílabos, alejandrinos, hexámetros, etcétera, ya completamente domesticados y naturalizados en nuestro idioma gracias a una nueva sensibilidad poética.

Es justo decirlo: el milagro del modernismo no surgió en

Francia sino en España. Los modernistas rescataron para nuestros oídos los experimentos métricos y estilísticos encontrados en el anónimo *Cantar de Mio Cid*, en la obra de Alfonso X el Sabio (1221–1284), de Ramón Llull (hacia 1313–1315 o 1316), del Arcipreste de Hita (hacia 1283–1351), don Juan Manuel (1282–1348), Fernando de Rojas (hacia 1470–1541), etcétera, y en las obras de los astros que iluminaron el Barroco español, cuyo mejor nombre lo dio el historiador Luis José Velázquez de Velasco (1722–1772): Siglo de Oro.

En torno a la figura de Rubén Darío (1867–1916) encontramos a otros destacados modernistas, entre ellos a Ricardo Jaimes Freyre (1866–1933), Amado Nervo (1867–1919), Enrique Gómez Carrillo (1873–1927), Rufino Blanco Fombona (1874–1944), Leopoldo Lugones (1874–1938) y José Santos Chocanos (1875–1934). Sin embargo, antes los habían precedido los iniciadores del movimiento: José Martí (1853–1895), Manuel Gutiérrez Nájera (1859–1895), Julián del Casal (1863–1893) y José Asunción Silva (1865–1896). Así, caemos en cuenta que lo plural es lo que mejor define al Modernismo.

Pero la historia de la poesía está llena de omisiones, olvidos e injusticias. A los nombres modernistas no ha sido costumbre añadir el del más descollante modernista hondureño: Juan Ramón Molina (1875–1908), en cuyos poemas palpitan, como en Darío y en el resto de sus compañeros, palabras esquivas y rebeldes, una plétora de imágenes, metáforas y sonidos, tactos y, sobre todo, cambios de luces, destellos y semipenumbras. También se oye en la poesía de Juan Ramón Molina el canto de las sirenas. Pero al contrario de Ulises, el mítico guerrero de *La odisea*, el

9

tímido y enigmático poeta hondureño no desoye ni intenta eludir su canto.

Juan Ramón Molina fue el gran melancólico de Honduras, pero también el más ignorado. Si se le recuerda, casi siempre se lo hace con el pésimo chiste de cajón que lo imagina con los poros saturados de alcohol, componiendo versos en una burda cantina o estanco de Tegucigalpa.

Quienes han perpetuado esta imagen ignoran la trágica vida del escritor y no pueden entender el sufrimiento que hay en estos versos:

La lluvia su monótona charla dice afuera.
La puerta de mi cuarto por fin está cerrada.
Quizás en esta noche no grite mi quimera
y goce del olvido profundo de la almohada.

¡Hace ya tanto tiempo que en reposar me empeño,
como si me turbara la fiebre del delito,
que mis ojos enclavo de los que huyera el sueño
en la siniestra esfinge del lúgubre infinito!

Mas hoy todos los seres me han parecido buenos,
el cielo azul brindome su calma vespertina,
y libre de pecados y libre de venenos
purifiqué mi cuerpo en agua cristalina.

Quiero la paz aquella de la primer mañana
cuando, en el seno de Eva, tranquilo e inocente,
Adán durmió, al arrullo de amor de la fontana,
ajeno a las promesas de la sutil serpiente.

Un nirvana sin término, letárgico y profundo,
en el que olvide todas mis dichas y mis males,

la secreta congoja de haber venido al mundo
a resolver enigmas y problemas fatales.

Ser del todo insensible como la dura piedra,
y no tallado en una doliente carne viva
de nervios y de músculos. O ser como la hiedra
que extiende sus tentáculos de manera instintiva.

No como el pobre bruto del llano y de la cumbre
sujeto a la ley ciega de inexorable sino,
que en sus miradas tiene la enorme pesadumbre
de todo aquel que encuentra muy bajo su destino.

Así gozar quisiera de imperturbable sueño
cuando la noche baja de los cielos lejanos.
Estrellas: derramadme vuestro letal beleño.
Arcángeles: mecedme con vuestras leves manos.

Para que mi mañana florezca como rosa
de mayo, exuberante de vida y de fragancia,
y la tierra contemple, jocunda y luminosa,
con los tranquilos ojos con que la vi en la infancia.

(«Anhelo nocturno»).

La respuesta a esta angustia metafísica está en ese siglo incomprendido, en el que «el negro nubarrón viene rasgando», a decir de Darío, y que todavía nos toca y nos golpea de costado puesto que la Revolución Industrial, que tanto horror produjo en románticos y modernistas, tiene hoy su versión llamada Revolución Electrónica, orgullo y vanidad del siglo XXI.

La melancolía, palabra demonizada en la era de Facebook

y Twitter, fue definida por Aristóteles en la *Problemata 131*. Desde entonces, muchos artistas la han padecido. La de Juan Ramón fue una melancolía extrema, exacerbada por su condición de mendicante, su destino y una sociedad que lo abandonó a sus expensas. Pero como todo hombre de genio o ingenio, ambas palabras tienen la misma raíz latina (Ingenium), Juan Ramón Molina dio rienda suelta a su talento, siendo fiel, como todo melancólico, a su naturaleza: fue creador y creó.

Lo hizo en medio de penurias en infortunios. Así lo relata Óscar Estrada (1974) en su novela *El pescador de sirenas* (Casasola Editores, 2019), en la que un anónimo diplomático se entera de la muerte del poeta y se da a la tarea de investigar los pormenores de su deceso, su vida y su obra.

En el periplo, el diplomático descubre que Juan Ramón Molina, envuelto en la vorágine de una Honduras sacudida por la corrupción política, la guerra y la codicia, encarna, como todos los modernistas, la tragedia o, en palabras de don Miguel de Unamuno (1864–1936), el «sentimiento trágico de la vida». Ni la ciencia ni la religión ni una sociedad que lo desconoció, le dieron respuesta a Juan Ramón sobre la desazón de existir.

Con la aparición de la novela de Óscar Estrada, propio es recordar que en Honduras, a diferencia de otros países, el género biográfico o la novela histórica son poco frecuentes. Y es que, como géneros narrativos, la novela biografía e histórica tienen una virtud: la de acercar a un gran público las vidas de los pilares intelectuales de una nación; y todo pueblo, vale decirlo, está llamado a conocer a fondo su historia a fin de no cometer los errores del pasado.

Todos los modernistas vivieron y abrazaron plenamente su entorno y, con él, sus desgracias. Sus vidas, sesgadas por desventuras e infortunios, son material inacabable para la ficción.

El pescador de sirenas nos adentra en la Honduras del siglo XIX y principios del XX a través de cartas, entrevistas, grabaciones y conversaciones con personajes históricos como los políticos Fausto Dávila (1858-1958) y Marco Carías Andino (1871-1924), y los escritores Froylán Turcios (1875 -1943), Arturo Oquelí (1887-1953) y Rafael Heliodoro Valle (1891-1959), entre otros, quienes gracias a la narración de Óscar, nos ofrecen un inolvidable recorrido por la vida de Juan Ramón Molina.

La novela de Óscar Estrada no intenta reemplazar la biografía como auténtico recuento histórico, sino que, a través de la ficción, nos permite adentrarnos, sin miedo y sin tropiezos, en un pasado difuso por la nebulosa del tiempo, el olvido y la pereza, del cual todos debemos aprender. *El pescador de sirenas* es, antes que nada, una invitación a escuchar la voz de un poeta injustamente olvidado, al que estamos en la recta obligación de aplicar las palabras que Ezra Pound (1885-1972) dijo, a manera de responso ante el féretro de T.S. Eliot (1888-1965): «Léanlo».

Las sirenas están cantando.

Roberto Carlos Pérez,
Mayo de 2019

Un hombre en el río

Rafael Heliodoro Valle era un niño que bañaba en el Río Grande de Tegucigalpa, cuando su amigo Manuel Flores le advirtió que el poeta Juan Ramón Molina se acercaba a la ribera del río: «Era un hombre de ojos verdes que creía rivalizar en belleza apolínea con Lord Byron», diría Valle.

Hasta hace unos años, hemos leído que el poeta nació en Comayagüela, el 17 de abril de 1875, pero nuevos estudios, como la biografía *Juan Ramón Molina*, escrita por Humberto Rivera y Morillo, revelan que en ninguno de los Libros de Nacimientos de Tegucigalpa y Comayagüela, correspondientes a los años de 1865-1885, hay registro alguno de su nacimiento. Tampoco aparece en el Registro de Nacimientos, ni en el Libro de Bautismos del Distrito, correspondientes a los años de 1841-1900.

Según Rivera y Morillo, Molina vivió sus primeros años en Aguanterique, La Paz, junto a sus padres, Juana Núñez y Federico Molina. No tiene claro el sitio preciso del nacimiento del poeta, pero sugiere que pudo ser en Comayagua: una versión que aún está por confirmarse.

Pero la confusión sobre su nacimiento no se debe quizá a la semejanza fonética de ambas palabras (Comayagua-

15

Comayagüela), sino a la fantástica versión del poeta sobre su tierra natal: «le gustaba que lo vieran como capitalino», aunque Tegucigalpa no fuera más que una minúscula ciudad provinciana con calles empedradas y lodosas, casas solariegas construidas de madera, piedra y adobe; una pequeña plaza central, una modesta catedral erigida por familias pudientes, un mercado de indios fundado en el siglo XVI, una Iglesia para pardos y un río estrepitoso.

¿Sus motivaciones?, quizá la trama vivencial de un autor empeñado en construir una vida tan poética como su obra.

En Comayagüela, Juan Ramón vivió en la Calle Real, conocida en la ciudad como la «Avenida de los poetas», porque también vivieron en ella Rómulo Durón, Luis Andrés Zúñiga, Guillermo Bustillo Reina, Salvador Turcios, Rafael Heliodoro Valle y Alonso Alfredo Brito; todos autores hondureños memorables.

Años más tarde se mudó al barrio El Jazmín, de Tegucigalpa, donde comenzó su pasión por la poesía, el juego —heredado de su padre—y el alcohol.

El pescador de sirenas es una novela de ficción ambientada en la Tegucigalpa de finales del siglo XIX donde vivió Molina, el poeta hondureño que, junto a Rubén Darío, ha sido considerado el más grande poeta del modernismo centroamericano, incluso por gigantes de la literatura latinoamericana como Enrique Gonzáles Martínez o Miguel Ángel Asturias.

En la trama novelesca, un diplomático se entera de la muerte de Molina (a quien conoció de joven y admiró), y decide emprender una investigación sobre los por menores de la muerte del poeta. En el transcurso de su viaje investigativo, descubre los detalles de la "fantástica" y azarosa vida de un poeta excepcional, en un país convulsionado por la política y la guerra.

Como Schindler (Jeroen Krabbé) en la *Amada Inmortal* de Bernard Rose, el diplomático emprende una serie de entrevistas, encuentros y conversaciones con algunos de los amigos y colegas más cercanos del poeta: Floylán Turcios, Rafael Alvarado Manzano, Arturo Oquelí, Marco Carías Andino, Fausto Dávila y Antonio Callejas, a quien Molina dedicó su famoso relato «Mr. Black», inspirado en sus años infantiles y en su antiguo profesor, Mr. White; un ex marino jamaiquino que lo había torturado con números, coscorrones y rezos, en su antigua escuela del barrio La Ronda.

Cada una de las conversaciones, notas y entrevistas (colocados a manera de capítulos), van recreando minuciosamente la vida del autor de «Pesca de Sirenas»; desde su infancia en las calles de Comayagüela, en la pulpería de su madre, en las aulas escolásticas de Mr. White o en las pozas del Río Grande; hasta su adultez histriónica, sus matrimonios infortunados y fallidos, su actividad periodística, su afición a los burdeles y al juego, su militancia política, su obstinación militar, sus conflictos emocionales, su conducta antisocial y su obra poderosa.

Escrita en un lenguaje colorido que abunda en polisílabos, adjetivos y arcaísmos, la novela alcanza un clímax narrativo de profundos matices modernistas, como se aprecia en la carta que el poeta escribe a su primera esposa, Dolores Inestroza, confesándole su amor; o en la imagen del poeta, sentado en una piedra del Río Grande, recordando con nostalgia el gran Ceibo del río, sus luciérnagas nocturnas y sus aguas verdeoscuras, para olvidar un poco la agonía de su amada Dolores, a quien, una vez fallecida —víctima de la pobreza y de la tisis—, escribió su inolvidable poema «A una muerta»:

Señor: Tú la llamaste y ella voló a tu lado/dejándome en la tierra/¿Mi espíritu has mirado?.../ No bañaron mis lágrimas sus gélidos despojos/porque cegó la angustia los cauces de mis ojos/pero —como una vena por la cuchilla rota—/ mi corazón sangraba sin tregua, gota a gota/cual tu divina frente en el pavor del huerto/sobre los restos fríos de todo un mundo muerto.

A partir de la muerte de la amada (su Beatriz), el dolor del poeta es incesante. Estrada se aprovecha de este hecho para presentar a un Juan Ramón que, aunque calcado de la realidad —por la profunda documentación del novelista sobre la vida y obra de su personaje—, se parece mucho más a la imagen romántica que el poeta construyó sobre sí mismo.

La novela transforma los hechos cotidianos, modifica los recuerdos colectivos e inventa personajes a su conveniencia; una estrategia valedera y eficaz, gracias a las libertades propias de la literatura. El autor prefiere la esperanza de la ficción, antes que la frialdad de los hechos, y escribe para revindicar la figura poética, para salvar el mito y propagar la leyenda.

Lejos del sentido idílico del modernismo, la novela tiene la virtud de mostrar las ambigüedades y contradicciones del poeta; es un alcohólico que deambula por las calles, cantinas y mansiones de Tegucigalpa, que viste de harapos y de frac, que frecuenta a los borrachos de Cipile y a los altos funcionarios del Estado, que escribe versos envidiables y empuña el arma, que se embriaga de felicidad y se deshace en sufrimientos.

Nos muestra también las facetas personales más visibles del poeta: su roce internacional, su protagonismo político, su incidencia periodística y su muerte miserable.

Para desentrañar su universo literario y ver más allá de la frontera patria, Estrada rescata los acercamientos del poeta con otros autores modernistas: su relación con Máximo Soto Hall y Francisco Lainfiesta, con quienes hizo amistad en sus viajes a Guatemala; su encuentro con Rubén Darío en su mítico viaje a Río de Janeiro; o su estancia con José Santos Chocano, en Madrid, en la época en que el poeta peruano ejercía de buscador de tesoros perdidos.

Como periodista, Molina se estrenó en los pequeños periódicos de Tegucigalpa. Fue colaborador de *El Diario*, donde publicó algunos de sus primeros trabajos en prosa («Luciérnagas», «Copo de espuma», «Natura» o «El Grillo»); del *Diario de Honduras*, del que llegó a ser director, o del *El Cronista*, fundado por él mismo en agosto de 1898, y del que publicó 160 números en poco menos de un año.

Desde la prensa se hizo de la admiración de las personas por su poesía incomparable y sus prosas irreverentes: no fue un poeta dedicado únicamente a embellecer el lenguaje; fue un crítico mordaz (e hiriente) con el poder, a veces por proselitismo, a veces por convicción.

A diferencia de los conflictosególatras por sus críticas literarias, sus cuestionamientos al poder —del que había sido parte como diputado, subsecretario de Fomento y

Obras Públicas, y diplomático—le costaron el exilio, e, invariablemente, la muerte.

Murió un día de muertos de 1908, exiliado, pobre, olvidado, y añorando las «profundas montañas hondureñas», las calles angostas de Tegucigalpa, el Río Grande al que cantó como nadie —en el que alguna vez bañó junto un niño (Rafael Heliodoro Valle) que se convertiría en el gran escritor hondureño de todo el siglo XX—; y pensando en los tímidos labios de Dolores, su Lolita, cuyo recuerdo lo acompañó hasta el último instante de su vida en aquella mesa de cantina de San Salvador, donde quedó dormido para siempre.

Albany Flores Garca
Noviembre del 2018

El pescador de sirenas:
La novela sobre Juan Ramón Molina

Tal vez no hay nada más estrambótico que imaginar una corte real en las desvencijadas calles de la Tegucigalpa de finales de 1800, haciendo bombo y comparsa a una majestad auto nombrada: "El príncipe de las letras hondureñas", como ha sido llamado en numerosas ocasiones el poeta, capaz de traspasar dimensiones y ver con claridad su propia muerte en el tejido casi invisible de una araña o en el canto de un grillo.

Pescador de Sirenas es el ultimo título del escritor Óscar Estrada (1974). En este libro se aborda de manera rigurosa, la vida y obra de Juan Ramón Molina, nacido en Comayagüela en el año 1875 y fallecido de forma prematura a los 33 años, en el hermano país de El Salvador, donde se encontraba exiliado.

Dividida en 4 partes y ubicada en el género de la novela histórica, este texto tiene la facultad de situarnos como observadores y observadoras de una vida a través epístolas y documentos de la época, donde podemos asomarnos a la infancia de Molina, a través de diversas voces (amigos, conocidos y otros) a la vez que somos testigos de sus primeros trabajos como periodista en el *Diario de Honduras*, desde donde podemos ver ya, los signos de la rebeldía innata que lo caracterizaría:

Juan Ramón miró a Doña Carmen Alemán de Sierra, la primera dama del país y se acercó a ella. Un edecán de la pareja presidencial se puso entre ellos.

—Y usted mi señora — dijo Juan Ramón Molina sobre el hombro del edecán— toda emplumada y olorosa ¿Cree que nadie conoce sus negocios con el guaro adulterado que trae de Nicaragua? Lo se yo que me he escapado de morir intoxicado por su culpa.

El silencio fue rotundo... El general tragó saliva y dijo:

— Sáquenme a este borracho de acá.

—A partir de ese día, Molina perdió el favor del gobierno de Sierra, aunque siguió publicando en el diario que dirigía, para su desgracia como oposición al Gobierno.

Fragmento de la entrevista a Ariel Leiva, diplomático hondureño en Guatemala. 1932

Como veremos más tarde, «caer» de esa gracia le costaría a Molina la captura y detención por un artículo publicado en *El Diario*, cuya autoría era de Benjamín Franklin. Molina fue condenado a esclavitud forzada en la construcción de la carretera de Choluteca por parte de Terencio Sierra, el presidente de Honduras de ese entonces, a quien había osado criticar.

A partir de su estadía agónica en la cárcel ("no es un lugar para poetas, diría más tarde), sabremos de sus continuos planes de fuga, aquellos que no realizó por alcanzar la libertad primero y que legó de forma exitosa a un compañero real o imaginario de grillete: Rubén Núñez quien cumplía condena por asesinar a un coronel, violador de mujeres y al que Molina, válgase licencia creativa del autor, se permite felicitar y admirar por ser «hombre de una sola pieza», y por otro lado, nostálgico musita: — "Siempre supe que compartiría la misma suerte de Rubén, dijo, pero honestamente pensaba que sería el otro Rubén", en referencia a Rubén Darío, el renombrado poeta nicaragüense.

Así lo seguiremos en sus continuas andanzas, una vez en libertad, en su búsqueda de la poesía y posiblemente en su escape al miedo continuo de la muerte, huyendo siempre del canto de los grillos y de las noches que podrían presagiarla: «Maldito de mi —dijo llorando Juan Ramón— soy el heraldo de la muerte». Lo veremos construir de a poco, en las esquinas de su soledad, lo que más tarde sería su «corte»: beodos, mendigos, vendedores de la calle y prostitutas, entre otros personajes, en suma, los pobres de una ciudad destinada a ser desfigurada constantemente: Tegucigalpa. Solo desde esta ciudad podría erigirse como rey de la palabra, en una Honduras desde entonces, marginal, el sabe o presiente que a pese a su talento, está destinado a diluirse en el olvido o a ser recordado de manera tangencial.

Esta corte lo seguirá, cuando conozca y jure amor eterno a Dolores Hinestroza, que se convirtió en la única pareja de su vida a través de diálogos y testimonios de terceros, así como en cartas, entre la que destaca la epístola enviada a Rafael Heliodoro Valle en 1902. Dolores compañera del alma torturada del poeta, fallecerá pronto atacada por una enfermedad fulminante, dejando a Molina, sin saber qué hacer con una vida conjunta que acababa de empezar. Más tarde, aún en sus giras por el extranjero, él seguiría fiel a ese recuerdo, tal y como lo explica la novela: en una cena ocurrida en Río de Janeiro, brindada por el Conde Prozor, representante diplomático de Zar Nicolás II y su hija Greta. Allí se encontraría con Rubén Darío y después de un duelo de palabras y poesía, Greta arrastraría a Molina a las afueras y le daría un beso, ante el cual el poeta, incómodo, no respondería más que con el fragmento de un poema:

—La copa de mi vida, donde escanciaba mieles, llena está hasta los bordes de ponzoña y hieles...

Más tarde Greta explicará algo que le había llamado la atención ese día, le había llamado por otro nombre que ella desconocía, el de su amada fallecida.

—¿Lola? —pregunté.
—Sí, Lola. Yo no le corregí, estaba segura que él no estaba conmigo.

Lo seguiremos así por sus andanzas junto a otros escritores de la época, por Europa y otros países, sin renunciar a escribir, ni a regresar a la patria que añora, día con día.

—Ningún mortal ha podido ver jamás las curvaturas de su cuerpo— dijo el poeta. Inmaculadas como la nieve, de un corazón frío como el fondo del mar.
Juan Ramón, igual que Ulises también oyó cantar a las sirenas.

Y sin duda alguna, la connotación erótica de la sirena es palpable. Sin embargo a la luz de este silgo XXI y bajo una interpretación libre, la sirena podría ser la figura de lo inalcanzable, la musa terrible que significa la escritura en un país que te asfixia y no te deja crear, tal vez porque es imposible escapar de la marginalidad a la que los gobernantes y la clase política han condenado a esta, nuestra Centroamérica: «Guatemala me exilia» diría Monterroso, cuando le preguntaron por qué, después del exilio, no se afincaba en su país de nacimiento. Y en estos tiempos, en los que las caravanas de migrantes huyen de esta región cercados por la violencia, la corrupción y la criminalidad, tal vez nada sea más cierto.

La sirena podría evocar que luchamos por alcanzar un anhelo, cualquiera que este sea, figura percibida entre lo real y lo imaginario es también la noción de un destino que nunca se cumplirá, al igual que nunca se concretó para Ulises: El regreso a casa. Una Ítaca donde ya nada es igual, aquella que cambió en nuestras ausencias. Una Ítaca que queremos liberar en nuestros sueños más profundos, pero de la que huiremos, de regreso a un mar incierto, a una pesca donde estos seres mitológicos, mitad mujeres, mitad peces, nos aguardan. Allí podríamos dejar que sus cantos nos seduzcan y las seguiremos a nuestra muerte física, aquella que yace bajo el alcohol para unos, en la marginalidad para otros, en distintos grados de auto destrucción, hacia el fondo del mar. Hombres y mujeres notables, inmortalizados por su obra y una vida y muerte trágica, tal y como corresponde al ideal del amor romántico de estas Honduras. Así nos explica Óscar, bajo la interpretación de este texto, la vida y muerte del poeta, serían un continuo trajinar en esas aguas, que encuentran su destino final, en el país amado y hermano de El Salvador.

Una vez de regreso, lo acompañará en su despedida final, su construida corte de mendigos:

Después de las pompas fúnebres y las exequias trasladamos al poeta al Cementerio General de Comayagüela. En el camino los curiosos se apilaban para ver pasar a un hombre que nunca moriría. Yo pude ver en el fondo, allá lejos de la fosa rodeada por altos funcionarios y diplomáticos extranjeros, a los amigos de Molina. No me costó reconocerlos; su corte real de mendigos y pordioseros que se arrodillaban llorando, al ver partir al único príncipe de las letras castellanas que este país, pariría.

De esta manera, nos encontramos sin duda, frente a un notable ejercicio de memoria histórica, una novela construida con un rigor notable, producto de una búsqueda de aproximadamente cuatro años sobre documentos de la época, pero más que ello, nos encontramos frente a una novela, que bien puede ser la historia no solo de Juan Ramón Molina, si no la de todos los poetas de este país. En palabras de Óscar Estrada: «Molina es un proyecto fallido. Es el gran perdedor de la literatura. Aquel escritor que pudo ser y nunca fue. Algo que se sigue repitiendo en los escritores de hoy en día».

Bienvenida entonces, *El pescador de Sirenas* a la corte sin corona, de la literatura hondureña.

Jessica Isla
Julio de 2019

Juan Ramón Molina
(1875-1908)

Péscame una sirena, pescador sin fortuna
que yaces pensativo del mar junto a la orilla
propicio es el momento porque la vieja luna
como un mágico espejo entre las olas brilla.

Han de venir hasta esta rivera una tras una
mostrando a flor de agua su seno sin mancilla
y cantarán en coro, no lejos de la duna
su canto que a los pobres marinos maravilla.

Penetra al mar entonces y escoge la más bella
con tu red envolviéndola, no escuches su querella
que es como el canto aleve de la mujer. El sol,

la mirará mañana entre mis brazos loca
morir bajo el martirio divino de mi boca
moviendo entre mis piernas su cola tornasol.

Juan Ramón Molina
Pesca de sirenas

PRIMERA PARTE

1

Tegucigalpa, noviembre 2, 1934. 6:00 am.

Al ver pasar aquella extraña procesión de muertos vivientes, el tráfico que había a esa hora se detuvo. De las mazmorras del cuartel San Francisco salieron, despacio, camino al paredón, con paso resignado y una mirada prendida al andar de sus pies, nueve prisioneros descalzos y andrajosos, conducidos por igual número de soldados. Atrás de ellos iba un pequeño cortejo de mujeres envueltas en un manto de llanto ronco, un sombrío sacerdote de sotana desgastada y un capitán de policía con la camisa mal abotonada y una crecida barba.

A poca distancia, un grupo de niños les seguía; iban burlándose de los revolucionarios. Les arrojaban piedras y cáscaras de naranja buscando llamar su atención, querían que les vieran, pero los hombres los ignoraban. Para ellos no existía nada más en el mundo que su paso lento. El capitán mandó la formación y, sin protocolo alguno, dio la orden de disparo. Por una fracción de segundo las cosas permanecieron suspendidas en el aire, como esperando la caída de los cuerpos, que se desplomaron con una expresión de horror en sus rostros.

El capitán sacó su pistola del cinto y avanzó hacia los fusilados, quería dar fin a la ejecución y volver a la bartolina, de donde el deber lo sacó medio dormido aquella mañana. Disparó los tiros de gracia, pausados, cual péndulo maldito: uno… dos… tres…Nueve segundos después el tráfico de bueyes y caballos se reanudó indiferente a los gritos de las viudas, que de rodillas se aferraban al pecho de sus hombres muertos.

—Limpien esto y vámonos—, dijo el capitán a sus hombres, quienes procedieron a separar a las mujeres para apilar a los muertos en una carreta que inició su recorrido hacia el Cementerio General.

Aquel espectáculo de muerte sin honor ni gloria me golpeó en lo más profundo. El llanto solitario de aquel grupo de viudas —que reclamaban al gobierno del general Carías por haberles arrebatado a su amado— me pareció infame. Era como volver a la guerra civil del 24, cuando partí trágico y austero al exilio, cansado de las cruces que la ambición sembró en los cerros, y por la incertidumbre de un conflicto que parecía interminable.

Seguí a los muertos, silencioso, distante. Después de todo iban en la misma dirección que yo.

***

En el Cementerio General de Comayagüela, un grupo de niños limpiaba los sepulcros, repletos de pasto seco y flores marchitas. Se preparaban para servir de intérpretes al silencio de los muertos. En el extremo del cementerio, un par de hombres abría más fosas para los ejecutados que seguirían llegando.

Pregunté a uno de los niños limpiatumbas en qué sepulcro descansaban los restos de Juan Ramón Molina. El niño negó con la cabeza, ignorante. Yo no lo recordaba tampoco y me avergoncé de ello. Pregunté entonces a sus compañeros, quienes me indicaron una esquina sombría e indiferente.

—¿Lo trajeron hace mucho, verdad?— me preguntó el niño más grande, que me acompañaba con su armamento de machetes y jícaras maltrechas.

—Dicen que venía en una caja bien chiquita— comentó el otro limpiatumbas que, junto al primero, hacía de guía en el camposanto.

«¿Por qué volver?», me pregunté esa mañana al salir del hotel, recordando las palabras de Froylán el día que supo de la muerte de Juan Ramón: «Nada queda ya de él».

Al llegar a la tumba de Molina, el niño se dio a la faena con un rudimentario machete, desgarraba la mala yerba espantando a los alacranes, aquellas alimañas que clavaron su ponzoña en los pies descalzos del poeta y cortaron su paso firme hacia la gloria.

«Lejos está ya su cuerpo» —continué, sumergido en mis pensamientos, imaginándolo entre los mares de la eternidad, buscando sirenas en las profundidades del Neptuno. «Y su corazón, sensible y dulce como el corazón de un niño —tal como él predijo— roído está por el necrófogo gusano de Poe, inmóvil a los dolores del mundo… Nada queda de él —lamenté—… nada…».

Un viento suave sacudió las hojas de los árboles. Escuché el pasto seco revolcarse sobre la tierra roja, y puedo jurar que oí la voz pura del poeta que me decía: «Las heces de los más negros fastidios cubren las flores en Tegucigalpa».

—¿Usted lo conoció?— preguntó el niño limpiatumbas, mientras arrancaba el pasto del sepulcro con sus manos morenas.

No respondí.

Entrevista a Antonio Callejas
Tegucigalpa, 16 de noviembre de 1934. 2:30 p.m.
Casa de don Antonio Callejas, barrio El Jazmín

2

—¿Ya puedo hablar?

—Sí, hable. Estoy grabando.

—¿Y todo lo que digo queda allí, en esas cintas?

—Así es, todo.

—Qué raro, nunca había visto una máquina de esas. Mi hermano dice que el general Reina usa una máquina alemana en los interrogatorios que hacen a los liberales, y que luego le pasa las cintas al general Carías. Pero yo nunca había visto algo así. ¿Es muy cara?

—Sí, lo es. Hábleme de Juan Ramón, don Antonio.

—¿Le he contado por qué lo mandaron a la escuela de míster White?, —preguntó y luego sin esperar mi respuesta inició su relato.

—Una vez iba montando a caballo a puro lomo, con la cabeza hacia la cola y gritando barbaridades en contra de los mohicanos. Éramos un grupo de niños que siempre le seguía a donde fuera, por eso, porque nos hacía reír. Ese día que le digo, Juan Ramón perdió el control del caballo y fue a dar a la ventana de la pulpería de doña Ventura Velázquez, a quien todos conocíamos por gruñona y mala gente. Juan Ramón cayó sobre el mostrador y derribó las botellas de miel de palo y toda la mascadura.

«¡Cipote del demonio, ya vas a ver!», gritó la señora, al ver el desastre en todo el piso de la pulpería. Juan Ramón se disculpó como pudo, sacudiéndose las nalgas pegajosas de miel. Doña Ventura estaba como el demonio de enojada y amenazó con quejarse ante el gallego Federico. Tomó una escoba y apuntó a la cabeza de Juan Ramón, quien con una habilidad felina salió de un salto por la misma ventana, perdiéndose por la primera avenida. La pobre doña Ventura lo siguió por un rato, hasta que se cansó y volvió refunfuñando.

Todos le temíamos a don Federico. Conocíamos los duros castigos del gallego. Más de alguna vez escuchamos al pequeño Juan Ramón suplicar piedad ante la mano implacable de su padre. Ese día, Juan Ramón sabía que su papá lo estaba esperando en la estancia de la casa. Tardó en llegar, llegó incluso a proponerme que nos fuéramos a El Salvador, pero me dio miedo. Usted sabe, yo era también solo un cipote.

Cuando llegó a su casa, al entrar a la pequeña sala, Juan Ramón vio a su padre sentado, con su rostro sombrío en las tinieblas. El viejo le preguntó dónde había estado y Juan Ramón le dio alguna excusa. Esto me lo contó él, mucho después. Don Federico le contó que doña Ventura le había ido a cobrar la miel, y que ya estaba cansado de tantos problemas. Porque le puedo asegurar que Juan Ramón se metía en problemas todo el tiempo, y la pobre doña Juana sufría demasiado. Fue allí cuando don Federico le informó que ya había hablado con míster White para que lo aceptara en la escuela.

—¿Cómo era la escuela de míster White?

—Era un hombre duro, de origen irlandés. Huyó de la derrota confederada en la guerra civil estadounidense y se instaló en nuestra tierra, donde formó una escuela tan estricta que el látigo nudoso y la regla constituían parte del material didáctico. Sus métodos de enseñanza eran famosos. «Míster Black», le decíamos, pensando en él más como monstruo que como hombre.

—¿Míster Black?

—Sí, míster White. Un juego de palabras de Juan Ramón. Era largo en el talle, alto y con una cabeza pequeña. Su pelo reseco era como un nido de pájaros. Los ojos avecinados, tan hundidos y oscuros. No tenía nariz, y según Juan Ramón, aquello se debía a que se la había comido algún resfriado o se la habían arrancado en la guerra. Usaba una barba descolorida y los dientes… le faltaban no sé cuántos dientes. El gaznate largo como de avestruz, con una nuez muy salida. Los brazos secos, las manos como un manojo de sarmientos cada una.

Él no salía mucho de su casa. Tenía un indio que hacía sus mandados por él. Pero todos lo conocíamos y su imagen nos aterraba. Parecía un tenedor o un compás, con dos piernas largas y flacas.

La mañana de ese día de enero, Juan Ramón y su padre salieron de su casa. Adelante iba don Federico con su soberbio andar peninsular, atrás iba el pequeño poeta con la cabeza baja, cargando la bolsa con las pertenencias básicas que su madre le había preparado. Nosotros lo seguíamos de cerca, bordeando las esquinas para evitar ser vistos por don Federico. Queríamos ver por última vez a nuestro amigo, pero de lejos, porque teníamos miedo de que nos encerraran con él.

—¿La escuela estaba cerca de aquí?

—Estaba por el puente Mallol. Era un caserón antiguo de altas paredes de adobe y techos de teja colorada, unas ventanas pequeñas cubiertas de telaraña y una enorme puerta de dos hojas que para abrirse requería la labor de cuatro niños. Fue construida por el propio Narciso Mallol a principios de siglo, con el propósito de servir para el cuartel de policía. Luego decidió venderla para hacerse de fondos para construir el puente, porque el tesorero municipal, José María Midence, se escapó con más de diez mil pesos, dejando la ciudad en banca rota. El caserón pasó entonces a ser residencia, luego almacén, bodega, caballeriza, hasta que míster Black la compró y la reconstruyó a medias con el dinero que trajo de la venta de su finca en la destrozada Atlanta.

Una vez pasé frente a la casa de míster Black, meses antes de que la derribaran, cuando la desnarigada había reclamado ya el alma del maestro confederado. Puedo asegurarle que sentí todo el miedo que el Juan Ramón de 10 años sintió aquella mañana de 1886.

—Usted me dijo que Juan Ramón le envió una carta que hablaba sobre la escuela de míster White. ¿Puedo verla?

—Así es. Aquí la tengo.

Antonio me pasó el manuscrito de Juan Ramón, lo revisé, y luego de la primera leída descubrí que era el texto que Froylán Turcios publicó en *Tierras, Mares y Cielos*, aquella edición financiada por el Congreso Nacional.

Estimado Antonio:

Te pido disculpas por mi altercado con tu padre el día de ayer. A veces ese tema de la educación me hace salir de mis casillas. Espero sepas disculparme. Pero que haya puesto al nefasto míster Black como un modelo a seguir en el proyecto de educación que piensa impulsar el general Sierra cuando asuma la presidencia, simplemente es inaudito.

Creo que si volviera al lugar donde estuvo la escuela de Mr. Black, se me despertarían extrañas reminiscencias de mi memoria tal como le sucedió en Londres a Edgard Allan Poe, al volver a visitar la escuela del dómine Brandsby; pero, aunque volviese allí, tendría que hacer un gran esfuerzo mental para reunir los pensamientos que abandoné hace doce años en el vetusto caserón, porque hoy, en el lugar de él, álzase un elegante edificio moderno, donde se oyen sonoras carcajadas femeniles y música de instrumentos de cuerda, en vez de los ayes de los párvulos martirizados por las disciplinas del ogro, que durante el día nos enseñaba aritmética, y por la noche, a la luz agonizante de una lámpara de alquimista, nos hacía rezar el rosario, de rodillas sobre las baldosas de la celda que le servía de cuarto. Creo innecesario decir que cuando alguno de nosotros cabeceaba, rendido por el sueño, era agarrado de la oreja por la mano de Mr. Black, y columpiado cerca del techo, donde se despertaba dando alaridos. Poniéndolo en el suelo otra vez, el gigante continuaba su interminable rosario, con voz monótona y pecata, golpéandose el pecho, mientras nosotros nos veíamos a hurtadillas llenos de terror.

Para figurarse con verdad a Mr. Black, hay que describir el edificio de su escuela, tal como era cuando yo viví en él durante tres años mortales, que no olvidaré ni en la otra vida, con ser que allí se olvida todo. Imagináos una antiquísima casa, llena de telarañas, con las tejas cubiertas de musgo y con el patio empedrado de guijarros volcánicos, probablemente del período paleolítico; patio desconocido de los pájaros del cielo y donde jamás había nacido una sola flor. Horribles paredones negros aislábanos de toda comunicación con las vecinas casas, y sólo de cuando en vez, por una rara casualidad, asomábase a él, desde lo alto, uno que otro gato perdido, que lo examinaba atentamente lleno de asombro, con los bigotes erizados, huyendo en seguida a grandes saltos. Los murciélagos y las lechuzas, a la luz de la luna, aleteaban en él; los ancianos pilares proyectábanle sus sombras y los grillos lo asordaban con sus monótonos chirridos. en las noches tempestuosas el viento aullaba sobre el edificio, sacudiendo aquella vieja armazón, cubierta del polvo de cien años, como si quisiera arrastrar su descarnado esqueleto de vigas. El sol, por la mañana, apenas calentaba aquellos corredores húmedos, donde sonaban huecas las pisadas y los ratones tenían sus agujeros. Un fuerte olor a moho, a vejez, a hongos podridos, se cernía de continuo en aquel ambiente, que, como el agua de ciertas fuentes las raíces que va mojando, tenía la cualidad de petrificar lentamente las carnes de los niños, dándoles el color de la piedra pómez y cubriéndolas de un polvillo terroso.

A esa maldita escuela fui llevado un día de enero, a las ocho de la mañana, cuando apenas contaba diez años. Al entrar, volví maquinalmente los ojos a la calle, que no volvería a ver más, para despedirme del tibio sol que bañaba las paredes de las vecinas casas; de dos o tres pilluelos, mis amigos, ustedes, que me habían seguido de lejos con caras tristes; y de dos bueyes gordos y mansos, que pasaron en aquel momento, repletos sin duda de jugosa yerba y de felicidad. Cuando entré a la sala de clase, completamente desmantelada, varios niños volvieron tímidamente los ojos hacia mí, apartándolos de sus pizarras, donde probablemente resolvían un problema. Eran como veinticinco, sentados en bancos de pino. Reinaba un profundo silencio, apenas interrumpido por el chirrido de los pizarrines al trazar las cifras o por la tos tímida de alguno de aquellos infelices, en cuyos semblantes se pintaba el miedo.

Mr. Black, a quien no conocía sino por la terrible fama que gozaba entre los párvulos de las escuelas, estaba inclinado en ese momento sobre una gran mesa, donde se veía algunos libros de tiempos remotos, una palmera enorme, un ancho tintero de barro y unas disciplinas de cuero de res, negras, horribles y nudosas, que conocían las espaldas de una generación de niños. De lejos veíase únicamente la parte superior de su cabeza puntiaguda, cubierto de un pelo crespo y gris. Como sintiera mis pasos en la puerta, se enderezó, y dijo con una voz seca, que zumbó ásperamente en mis oídos: ¡Entre! Yo entré lleno de pavor, aunque cruzó por mi mente la idea de escaparme a todo correr por la calle próxima.

Desde esa hora, después de algunas explicaciones en que se habló de mi carácter fuerte, de los latigazos que debía darme aquel verdugo para domarme, y de otras cosas por el estilo, quedé incorporado a aquella sucursal de la Inquisición, y empecé, para evitar pérdida de tiempo, a copiar allí mismo el problema que estaban resolviendo mis compañeros de infortunio. Era una maldita resta, por la que se trataba de averiguar cuántos años tenía el maestro. Los números, rígidos y estirados, escritos con tizate por la mano de Mr. Black, destacaban como enjutas figuras geométricas en el fondo negro del pizarrón. Cada uno de ellos era el retrato del que los había trazado con los huesos largos y los dedos de su mano, capaz de perforar una mesa con un solo impulso. Si aquellos números, casi misteriosos, parecidos a jeroglíficos egipcios o a fórmulas mágicas, se hubiera juntado por el capricho de un hechicero, indudablemente que la silueta angulosa de su autor habría aparecido de repente en el pizarrón. Yo no podía imaginarme aquellos guarismos, sin imaginarme a Mr. Black, y viceversa. Entre él y ellos había un lazo invisible, una relación misteriosa, un parentesco raro. Eran sus hijos, sus esclavos. Parecía que estaban doblegados a su voluntad, que obedecían sus caprichos, que estaban ciegamente a sus órdenes. Si él hubiera dicho con su terrible voz: ¡Números: a la mesa!, los números, desprendiéndose como por encanto de su puesto, irían en seguida a colocarse en ella, respetuosamente inclinados. Si él les hubiera dicho: ¡Números: a mi cabeza!, los números, subiéndose por sus largos brazos, entrarían en ella por su boca, por sus orejas, por su nariz y por sus ojos: tal homogeneidad existía entre aquel hombre y aquellos guarismos.

Como ninguno de nosotros resolvió el problema de encontrar su edad cosa del todo imposible, porque sin duda se le había muerto de vieja, —o tal vez nunca la tuvo, lo que es más probable— lenvantóse de su taburete, y después de dar de latigazos a los más grandes, cogió el tizate y se dirigió al pizarrón. Los números, viéndolo acercarse, hicieron una mueca, que era una sonrisa, alineándose gravemente sobre la horizontal. Entonces pude verlo y considerarlo bien. Era un hombre cerbatana, como el Dómine Cabra *de Quevedo; una alta osamenta cuyos huesos chocaban a cada instante; una como momia colosal, metida en una levita milagrosa, del color de las miserias, cortada por la desgracia, raída por el hambre y empolvada por el tiempo. Sus pantalones de panilla ocultaban una piernas inverosímiles y temblorosas, que parecían de avestruz, o, con más verdad, de alambre, cuyas choquezuelas crujían a cada momento; temíase que los tales órganos de locomoción se quebraran como una caña. Su calzado de zuela, con señales de muchos remiendos de zapatero viejo, veíase cortado sobre los dedos, por temor de los callos, que tenía muchos y muy grandes. La pechera de una camisa, o de una mugre que parecía tal, enemiga de lavanderas y desconocida del agua, mal vista por la plancha, asomábase por entre el chaleco, o centro, como decía él, flojo sobre su abdomen inverosímil, digo, sobre su espinazo, porque lo que es vientre no tenía, ni le hacía falta para maldita cosa. No tenía color su rostro, sino era cuando montaba en ira, que entonces se bañaba del de la muerte, aunque de por sí estaba de pecas y de cicatrices. Terminaban sus flacos brazos en manos más flacas, que terminaban en dedos más flacos aún, de donde salían diez uñas enflaquecidas de tanta flaqueza; cada dedo, así como aquella uña negra, era a propósito para gancho de tridente del diablo. La cabeza, cabo de aquella tranca de hombre, era nido de terquedades, terreno ingrato para retóricas, bosque virgen para los peines, refugio seguro de las pulgas proscritas de su pescuezo. Bajo sus párpados llenos de fatiga, palidecían sus ojillos miopes, defecto que favorecía nuestras risas desde lejos, aunque a veces, por solo un culpable, caía látigo sobre* chicos y grandes. Por entre las ventanas de su nariz de lobo, veíase un vello color de tierra, pareciendo que dos arañas tejieran sus telas allí. A los lados, dos patillas anémicas, queridas del desaseo y viudas sin consuelo del jabón, caían melancólicamente sobre su mandíbula inferior, que a veces se doblaba sobre su pecho, digo, sobre sus costillas, que podían doblarse sin duda sobre su espinazo, que a su vez lo haría sobre sus piernas; tal facilidad para ello indicaba aquella armazón de resortes. Sus grandes orejas parecían conchas de ostras; su boca, o, mejor dicho, la abertura que hacía de tal órgano, entreabríase y mostraba un colmillo negro y encorvado, semejante a una bruja en el fondo de su cueva; y su pescuezo arrugado, estirábase como el de ciertas aves de rapiña en dirección del menor ruido. Sentado me pareció un número 4; de pie, un gran número 1; y encogido sobre el pizarrón, un número 7.

Resuelto por Mr. Black el problema de averiguar los años que tenía, salió tal cantidad, que él mismo no dejó de asombrarse, con ser que hacía un siglo que no llevaba la cuenta. Después me dijeron que no tenía edad, y hasta que no era hijo de mujer, como todos los hombres; pero esto nunca lo creí del todo. Ni tampoco que tuviera pacto con el diablo; ni que no comía carne de puerco ni de vaca, sino ratones tiernos y alguna que otra lechuza; ni que su levita le creció con los años —y en eso sumaron siglos— como la túnica inconsútil de Nuestro Señor Jesucristo; ni que, en un arcón viejo, al lado de la tarima donde dormía con un ojo abierto y el otro cerrado, tenía calaveras y canillas de muerto, con unos pergaminos que contenían secretos de cábala. Todos esos rumores, dichos al oído de los alumnos, contribuyeron a que le cobrara un supersticioso terror a Mr. Black, que *se aumentó cuando oí asegurar que había nacido antes del Diluvio, y que se salvó de la catástrofe, escondiéndose en el arca, entre las jirafas y los camellos, por lo que no llamó la atención de Noé. Algunos dudaban de esto; pero tenían por cierto varios astrólogos caldeos, según constaba de un ladrillo cuneiforme encontrado en las ruinas de Nínive, lo vieron con la misma levita en la torre de Babel. No faltaba quienes aseguraban, fundándose en un jeroglífico de una de las galerías de Menfis, y firmado por un sacerdote de Isis, que en tiempo de uno de los Faraones había tenido la ocupación de envolver y pintar momias; pero la versión más racional, y que merece entero crédito, es la que cuenta que vino a América escondido en el fondo de uno de los buques de Colón, saltando a hurtadillas a tierra de Honduras en Punta Caxinas, y que después, corrido el tiempo, dedicóse con tesón a enseñar las cuatro reglas a los niños, ayudado asiduamente por la palmeta y las disciplinas, que después supe apreciar en su justo peso y valor.*

Tuyo, JR.

3

—**M**e sumo a la guerra —me dijo Juan Ramón aquella mañana—. Me voy a la montaña con las tropas de Chema Reina.

Me costó comprender lo que decía. Lo vi, un niño aún, pensando en enfrentar a la muerte. En su infantil cabeza cabían los sueños de grandes hazañas guerreras. Se imaginaba entrando por los cerros pelados del sur de Tegucigalpa, como un Aníbal cartaginés a lomo de blancos paquidermos, reduciendo con su espada a las hordas retrógradas de Ponciano Leiva —cual bravo paladín del progreso—, y reconstruyendo el derrotado sueño del unionista Morazán.

Pero sus sueños de grandeza militar debían esperar. Su padre, consciente quizás del temerario pensamiento del joven Juan Ramón, buscó mandarlo fuera del país para que continuara sus estudios y se alejara de la muerte.

—Te vas mañana para Quetzaltenango —le dijo.

Sin más trámite, Juan Ramón dejó Honduras, contemplando las aguas del vasto mar *que se abría cual monstruosas sombras delante del vapor.*

¿Cual habrá sido la impresión del joven Juan Ramón, de sólo 17 años, al llegar a la ciudad de Quetzaltenango? Guatemala: *Atenas del nuevo mundo*, centro de producción cultural, próspera urbe, tan distinta de la provincial Tegucigalpa.

Allí comprendió que el planeta se extendía más allá de los cerros pelados de Comayagüela. Allí conoció la musa modernista de los poetas de habla hispana; una musa que iluminaba las caducas estructuras de la lengua, revolucionando, con la fuerza que esconden los cisnes bajo sus alas, un alfabeto infinito.

Bella edad la del poeta entre tertulias de cafés, lecturas, discusiones intelectuales y crítica de arte. Intensa época la suya, cuando descubrió su vocación literaria y su amor por la filosofía; un amor que llevaría hasta su muerte.

Yo sí me fui a la guerra. Peleé con las tropas de Terencio Sierra en Choluteca. Fui herido en la batalla de El Corpus, cuando el general Sierra fue derrotado por Domingo Vázquez. Mi padre, que era muy amigo del general Leiva logró una amnistía que me permitió salir del país e irme a Guatemala. Allí, en 1892, pude reencontrarme con Juan Ramón.

En 1890 llegó el poeta Rubén Darío a Guatemala. Joven aún, el bardo que construía la gloria de las letras hispanoamericanas y que se extinguiría (*cual vela brillante que por los dos cabos se quema*) en los vapores de Dionicio, venía exiliado de El Salvador. El general Carlos Ezeta, que se midió en la batalla que llevó la muerte a Justo Rufino Barrios, había hecho de padrino de la boda entre Darío y Rafaela Contreras, hija del gran Álvaro Contreras. En la noche de la boda, Ezeta dio golpe de Estado al general Francisco Menéndez y, quizá sin planearlo, también la muerte por infarto.

Darío se vio obligado a huir, temeroso de que se le vinculara con la espuria traición, dejando atrás a la recién desposada Rafaela, su bella *Stella*, única mujer que amó en su vida, y quien murió poco después, con solo 23 años, en el más vulgar olvido.

Como yo conocía la pasión de Juan Ramón por las letras, cuando llegué a Guatemala y supe que Darío había formado un periódico con la ayuda del presidente Barillas, invité a Juan Ramón a sumarse en la aventura periodística del poeta nicaragüense.

¿Quién, sino Juan Ramón Molina, que con *El Águila* reflejaba tan bien la evolución del modernismo de *Aragke*, hubiese sido complemento perfecto del gran Rubén Darío en *El correo de la tarde*?

—Conozco a don Francisco Lainfiesta —le dije—, es un buen amigo de mi papá. Hablaré con él para que te haga una cita con Rubén Darío y te de trabajo en el periódico.

Cuál fue mi sorpresa cuando Juan Ramón despreció la oferta, diciéndome que Darío no era más que un borracho neurasténico, unególatra empedernido.

No insistí. Con el tiempo Rubén se fue de Guatemala y no fue hasta mucho después cuando comprendí que Juan Ramón tenía razón. Logró, sin embargo, a pesar de rechazar la oferta de *El correo de la tarde*, llamar la atención de la intelectualidad guatemalteca. Su talento era incuestionable. Rápidamente se hizo del favor de las buenas familias, que le admiraban por su belleza física e intelectual, por su gallardía y su valor.

Para el aniversario de la muerte de Justo Rufino Barrios, en 1895, el gobierno de José María Reina —sobrino del dictador y liberal moderado que buscaba asegurar las menos controvertidas reformas de su tío, pero que igualmente provocó la ira de los poderosos que conspiraron para asesinarlo años después, *a las 8 de la noche, en la 8 calle, frente a la casa número 8*—, invitó a Juan Ramón a pronunciar un discurso en honor al fracasado unionista. Al discurso asistió todo el cuerpo diplomático y, por orden del presidente Policarpo Bonilla, también asistí yo en representación de Honduras.

Recuerdo lo pulcro que lucía nuestro poeta en el estrado, con su traje impecable (a lo dandi) y su voz joven, poderosa: «A Justo Rufino Barrios le tocó en suerte desvanecer aquella densa noche social que pesaba sobre Guatemala en 1840 —dijo—, año terrible en que Morazán, ese gallardo y generoso paladín de la cruzada unionista, salió de la capital, entre cuadro de fuego y envuelto en un huracán de plomo […] Se siente el rumor de las grandes catástrofes y hay un misterioso fruncimiento de cejas en el cielo. A través de ese humo sagrado, vagan los espectros de Barrundia, de Jerez, de Gerardo Barrios y de Francisco Morazán. La sangre tiene allí la opulencia de la gloria. En la pradera convulsa, sobre el césped verde, envuelto en la oriflama de la antigua patria, yace un fiero difunto… ¡Ah! Si justo Rufino Barrios no hubiera muerto hace once años en este infausto día, en verdad os digo que, a esta hora, un viento nuevo y fecundo, un vasto y poderoso soplo de civilización, venido del océano de luz del siglo XIX, pasaría sobre las cabezas de los cuatro millones de habitantes del istmo centroamericano…»

Qué bellos sonaron los aplausos ese día, las ovaciones, eran como el rumor de nuestro mar caribe, como el cantar de los pinos en nuestras montañas, como el rugir del río Chamelecón o el sonido de mil trabajadores en la zafra de la caña de azúcar.

Luego del discurso, Juan Ramón estableció amistad con varios escritores de su generación: Máximo Soto Hall,

Lainfiesta (que estaba entrado en años, pero disfrutaba siempre de rodearse de jóvenes brillantes) y el mismo Barillas, le ofrecieron becas de estudio, direcciones, ministerios y viajes al extranjero. Pero Molina nuevamente lo rechazó todo, porque en él pesaba ya el plan de volver a su tierra.

—Me regreso a Honduras —me dijo una tarde al llegar a mi casa.

—¿Y qué vas a hacer allá?

—No sé, cualquier cosa. Ya pensaré en algo. Quizá me sume a la campaña de Terencio Sierra.

—¿Estás seguro? —, pregunté mientras servía una copa de vino—. He escuchado que Sierra es un hombre de poco diálogo fraterno con los literatos.

—Pues fraterno o no, yo quiero volver. Allá está todo para mí. ¿Quién soy acá?

Escribió a su padre pidiendo dinero para volver a Tegucigalpa, solicitud que le fue atendida no una, sino tres veces, porque cada vez que llegaba el giro se perdía en los bares baratos de la ciudad de Guatemala.

Finalmente, doña Juana apeló a mí, dándome instrucción para que le comprara el boleto y remarcando que «no le diera nada de dinero a Juan Ramón».

«Ese muchacho cree que el dinero crece en los árboles —me dijo la señora en una carta—, a saber en qué gasta lo que le mandamos».

Yo sabía en qué lo gastaba, lo había visto codearse con borrachines y ladronzuelos, quienes lucían al poeta como quien pasea una hermosa novia. Lo vi dilapidar los pingües recursos que tenía cual Sultán sibarita, con mujeres fáciles a las que llamaba Salomé... pero no dije nada a su madre.

Cuando Juan Ramón supo que no le daría el dinero, se molestó mucho conmigo.

—Solo necesito una vez para comprender que usted es un avaro mercantilista —me dijo—, y en seguida se marchó con el boleto en la mano.

4

Fragmento de la entrevista con Ariel Leiva,
diplomático hondureño en Guatemala, 1932.

—La patria debe estarles agradecida —dijo una mañana el general Sierra, cuando citó a su despacho a un grupo de jóvenes intelectuales para ofrecerles el grado de teniente coronel.

Al volver de Guatemala, nosotros, hombres de ideas que aportamos a la lucha con el filo de las palabras, fuimos acogidos con entusiasmo por los coroneles y generales de la triunfante revolución. Nos llenaban de halagos y lisonjas, para hacernos esculpir con hermosas letras sus burdos planes de gobierno.

Froylán Turcios, que también estaba allí aquella mañana, explicó al general Sierra que se sentía incómodo con el ascenso.

—Mi participación en la guerra fue insignificante, no me sentiría cómodo cargando los galones que a otros hombres les ha costado años de lucha —dijo Turcios.

—Comete usted un grave error, mi amigo —interrumpió el general Manuel Bonilla—, en los tiempos que corren los grados y galones son más útiles que los títulos universitarios; y teniente coronel está a sólo dos grados de general. Es mejor mandar, aunque sea un poco, que pasarse la vida obedeciendo.

Juan Ramón, sin embargo, débil como era al brillo de los uniformes, aceptó con agrado el nombramiento.

Una vez, en Guatemala, Juan Ramón me confesó, en medio de una agradable tertulia, que él se había graduado de bachiller, por «el puro placer de usar la capa tradicional que se usaba en el colegio de Quetzaltenando». Aún hoy estoy seguro que su confesión era cierta, como creo que aceptó el rango que le ofrecía el general Sierra, por el simple placer de verse vestido en uniforme de gala.

—Soy *el príncipe de los poetas* —decía Juan Ramón, y tenía razón. Bello como era, no había mujer (ni hombre) en toda Tegucigalpa, que no se quedara pasmado frente a su elegancia.

En todo caso, él se merecía el acenso. Desde que llegó de Guatemala trabajó duro en la campaña política del general Sierra y celebró —a su manera— la victoria en las elecciones de 1898. Cualquiera hubiera cultivado esa relación para atender en ministerios. Pero el poeta era también su propio enemigo. Lo que con una mano construía, lo destruía con la otra, y esa otra mano era la misma que usaba para empinar la botella.

Yo conocía que Juan Ramón era dado para la vida bohemia. Le había visto circular por los lupanares de Guatemala hasta perder el sentido. Pero cuando volví a Tegucigalpa, cerca ya de la victoria de Sierra, no pude más que sorprenderme con el deterioro que el alcohol había hecho en su vida. Era el mismo, siempre bello y resplandeciente, pero esa pócima maldita lo convertía en *mister Hyd*e, bajando su humanidad a las sombras.

Igual que en Guatemala, le gustaba rodearse de borrachines y rateritos, a los que irónicamente llamaba «mi corte», recordando quizá aquellos niños que fuimos sus amigos en los días previos a la escuela de míster White.

Resultaba hasta divertido verlo con su cortejo de alcohólicos, recitando fragmentos de Calderón de la Barca: «…Estela, nunca he querido con imperios ofender de tu hermosura, el respeto de quien hago al cielo juez. Obligarte y persuadirte, siempre mi deseo fue, más amante con finezas, que tirano con poder…».

Naturalmente, los pobres infelices no lograban comprender el sentido de las palabras de Calderón de la Barca. Reían con los chistes, únicamente cuando aquel les daba cierta frescura escatológica. Pero Juan Ramón disfrutaba de sus aplausos, como quien los recibe en la Ópera de París, con una orgullosa y teatral reverencia.

—El día que llegué a buscarlo para asistir a la toma de posesión del presidente Sierra, era la tarde del 1 de febrero de 1899, y el comité de campaña había organizado una cena de gala para honrar al nuevo mandatario. Juan Ramón había estado bebiendo por varios días, pero como se encontraba con cierta sobriedad, pensé —todos pensamos— que podría controlarse. Debí haber sabido que era un error, debí haber recordado su alta dosis de insolencia y debí persuadirlo de no asistir al agasajo. Pero él quería ir, lucir sus galas de teniente coronel.

—¿Una fiesta, en Tegucigalpa, sin mí? —preguntó—, más les valdría llamarle vela.

Al principio la noche pasó sin incidentes: los saludos corteses a la pareja presidencial, las bromas tibias de los ministros y el cuerpo diplomático. Pero a medida que la noche avanzaba, los vapores del alcohol se iban apoderando de la voluntad del poeta.

—Yo miraba al general Sierra incómodo con la

embriaguez —a ese punto escandalosa— de Juan Ramón. Varios intentamos acercarnos a él para controlarlo, pero su reacción fue violenta.

—¡No me estés diciendo que me calme! —gritó Juan Ramón a un joven cadete que intentaba hacerlo entrar en razón—. ¿Vos no sabés quién soy yo? —le dijo—, y a continuación se dirigió a la sala completa.

Entonces el silencio fue rotundo, todos mirábamos al poeta, sorprendidos. Yo esperaba lo peor.

—Compartir con ustedes la vida es esta bostezante ciudad, es como meterse a un catre con chinches o a un zarzal con garrapatas —gritó.

El general Sierra, sintiéndose quizá en la obligación de controlar al poeta, le pidió que se calmara.

—¿Y vos quién sos! —le gritó el poeta—, un chimpancé del Congo sabe más de gobierno que cualquiera de tus ministros. Pero no los puedo culpar, nadie puede culpar a los chimpancés del Partido Liberal, si los propios altos mandos no son más que payasos.

Juan Ramón miró a doña Carmen Alemán de Sierra, la primera dama del país, y se acercó a ella. Un edecán de la pareja presidencial se puso entre ellos.

—Y usted, mi señora —dijo Juan Ramón sobre el hombro del edecán—, toda emplumada y olorosa, ¿cree que nadie conoce sus negocios con el guaro adulterado que trae de Nicaragua? Lo sé yo que me he escapado de morir intoxicado por su culpa.

El silencio fue rotundo. Una vena en la frente del general Sierra parecía estar a punto de reventar, sus labios apretados y sus puños cerrados.

—Quizás, en el frente de batalla, el general Sierra le habría mandado a fusilar en el acto. Pero era la toma de posesión de su gobierno, tantos años esperada, y el insolente era, nada más ni nada menos, que el poeta Juan Ramón Molina.

El general tragó saliva y dijo:

—Sáquenme a éste borracho de acá.

Los cadetes de la guardia presidencial sacaron al poeta y lo lanzaron a la calle como un bulto cualquiera. Juan Ramón se levantó y siguió gritando improperios contra el general hasta perderse por el puente Mallol.

—A partir de ese día, Molina perdió el favor del gobierno de Sierra, aunque siguió publicando en el diario que dirigía —para su desgracia— como oposición al gobierno. Pasaba de artículos o notas culturales a noticias de actualidad, siempre remarcando el alto grado de atraso que vivía el país por culpa de la fallida administración.

5

Carta de Federico Agüero

Tegucigalpa, diciembre 12 de 1934.

Estimado, supe por Antonio Callejas que usted estaba en Tegucigalpa y me alegró la noticia. Supe además que estaba trabajando en una investigación sobre Juan Ramón Molina y no pude sino congratularme. Al fin alguien le rinde honor al poeta.

Le escribo para explicarle que, entre muchas cualidades y defectos del bardo, la locura era una de ellas. Padecía de un mal, que lo hacía ser dos personas distintas a veces sin motivo aparente para el cambio. Eso se miraba también en lo que escribía, le doy un ejemplo. Hace poco encontré un artículo firmado por Juan Ramón, en donde dice: «… que con tantos obstáculos y miserias tengamos hombres que como Dionisio de Herrera y Céleo Arias que estén resplandeciendo por sus virtudes desde este olvidado rincón del mundo; estadistas sabios que, como José Cecilio del Valle, salvando el solar nativo, vayan a causarle admiración a un Bentham; oradores que como Álvaro Contreras, ese eterno perseguido, de vaya de playa en playa y de pueblo en pueblo, haciendo escuchar su verbo rebelde; escritores como Ramón Rosa, que manejan el habla de Castilla hasta el extremo de que su estilo semeja uno como repiqueteo de campanillas de oro o ruido de chorros de perlas cayendo en ánforas de cristal…».

Este artículo al que me refiero, no fue publicado por Froylán Turcios en su colección de *Tierras, mares y cielos*. Le comparto a Turcios una copia del mismo esperando pueda incorporarlo en futuras ediciones. Pero, ¿qué tiene de especial este texto? En una revista salvadoreña de 1908, poco antes de la muerte del poeta, Juan Ramón Molina publicó una carta a razón de la muerte del poeta Jeremías Cisneros en la ciudad de Gracias.

En el fragmento que nos interesa de la carta dice:

«...Hace diez años que José Antonio Domínguez, que hoy yace en el obscuro y herboso camposanto de Juticalpa; Froylán Turcios, que empezaba su brillante labor, y yo, que llegué a Guatemala, "ciego de luz y loco de armonía", pusimos su nombre de moda (Jeremías Cisneros), manifestando el valor de aquel lejano y austero meditativo, cuya sobriedad de estilo contrastaba con la prosa difusa y sentimental de Ramón Rosa, con el verbo ruinoso de Adolfo Zúniga y los períodos vibrantes e incorrectos de Álvaro Contreras. Si estos parecen valer más que él, al sentir de la crítica local, es porque hicieron vida pública, porque se desarrollaron en un medio mejor. Rosa fue ministro omnipotente, atacado de una egolatría sin límites que, con todos sus lirismos lamartianos, no tuvo escrúpulos, entre las muchas atrocidades que cometió, de hacer apalear a una infeliz vieja, causándole la muerte; Zúniga, más vanidoso que un pavo, vivió adorándose, arrullándose y contemplándose, sin embargo, en un certamen de belleza, no se hubiera sacado el primer premio; y Contreras, que fue una especie de Héctor Varela centroamericano, y cuyos nervios hiperestésicos eran para él la túnica de Nesso, se creía sinceramente el primer orador de la tierra. Los tres tuvieron el talento de cultivar con espero su renombre, y así, ayudados por su posición social u oficial, se impusieron a la admiración de los demás. Cuando una crítica justiciera depure su obra, se verá que, aun con todos sus méritos, valen menos de lo que se cree».

Y es que ahora, a mi parecer, Molina era un genio de múltiples cabezas. Estoy convencido que él cambiaba su parecer de las personas conforme la luna, viendo héroes donde antes vio villanos, demonios donde antes hubo santos. Su letra no hacía sino proyectar lo que su visión difusa le decía.

¿O acaso vio de nosotros la verdad compleja, ese ser que somos cada uno, que no es uno ni otro, sino todo?

Comparando las dos notas de Molina, no pude sino apreciar la ironía. Es el mismo Juan Ramón que describe primero a Ramón Rosa, «como (un) repiqueteo de campanillas de oro o ruido de chorros de perlas cayendo en ánforas de cristal», y luego lo califica como un autor de «prosa difusa y sentimental», acusándolo además de haber sido un «ministro omnipotente, de no haber tenido escrúpulos entre las muchas atrocidades que cometió, y de hacer apalear a una infeliz vieja causándole la muerte…».

Sin más y esperando le sirvan mis comentarios,

Federico Agüero

6

Carta de don Enrique Guzman
Comediante nicaragüense

Estimado, me encantó recibir tu carta pidiendo mis recuerdos sobre mis múltiples visitas a Tegucigalpa en aquellos años de 1902. ¿Cómo era esa ciudad? Me parece haberle dicho antes, en una de nuestras coversaciones por estas tierras, que era un poco más pequeña que Granada. Sus calles tan torcidas como las de mi pueblo, y mucho más angostas; hay varias del ancho del Palenque, y cuatro o cinco más estrechas todavía. El empedrado de las dichas calles se parece bastante al de las de León, lo que le hará comprender cuan malo es. El alumbrado público es muy inferior al de Granada, Managua y demás poblaciones de Nicaragua. (En ese entonces el único alumbrado público que se conocía era el de lámparas de kerosene). El agua de la cañería era turbia y abundante en la estación lluviosa, clara y escasa en la seca.

Queda el río que es hermoso, pero puerco: en él lavan toda la ropa de la ciudad y a él arrojan innumerables desperdicios inmundos. En ciertos puntos se puede cruzar ahora el río con el agua al tobillo, y aún a pie enjuto saltando sobre piedras.

De la iglesia de Tegucigalpa la única regular es la Parroquia.

El Palacio Nacional, en el que vive el Presidente y se reúne el Congreso, es de lo más feo que puede verse.

Cuatro coches hay en la ciudad; dos del gobierno, uno de Santos Soto y otro de don José María Agurcia. He visto dos carretones y un velocípedo.

El parque Morazán es más grande que un pañuelo; casi como el patio de la casa que fue de mis padres. Los jueves y los domingos de las siete y media a nueve p.m. toca la banda en el parquecito.

Hay allí dos hoteles. El Restaurante de Juliana Ramírez es mejor que el mejor de ellos.

Dos mercados hay también: el de Tegucigalpa y el de Comayagüela. Ambos me parecen horribles y la suciedad en ellos excede a toda ponderación. Varias personas me han asegurado que desde que existen esos mercados nunca han barrido.

Abundan las legumbres en Tegucigalpa. Como frutas solo he visto naranjas (bastante ácidas), limas y bananos.

La leche es sumamente escasa y más cara que en San José de Costa Rica. El queso vale 40 centavos la libra cuando está muy barato. Ahora cuesta la libra un peso y dentro de dos o tres semanas costará 1.25. El café con leche es bebida de mucho lujo.

A mi madre explicaba hace poco como esa ciudad se divide en dos partes: la una que propiamente se llama Tegucigalpa queda al norte del río, y la porción sur tiene el nombre de Comayagüela; en ésta última viví yo. Hay cada banda, mercado, cabildo, oficina telegráfica, etc., y en todo se gobiernan como si fuesen dos poblaciones distintas. La casa en que yo habité está a 40 varas del río y como a tres cuadras del hermoso puente por donde se pasa para ir a Tegucigalpa. Dicen que entre las dos ciudades hay quince mil habitantes, pero no lo creo; será a lo sumo doce mil. Me parece que Comayagüela y Tegucigalpa juntas no llegan en extensión al tamaño de Granada (como ya le dije antes). El movimiento comercial es muy pequeño: no hay coches, ni tranvías, ni más que dos o tres carretones. Con todo se encuentra aquí muy distinguida sociedad y mucho mayor cultura que en Managua.

El clima de Tegucigalpa es, para mi gusto, delicioso. Ahora no se siente ni frío ni calor (son las tres de la tarde); el termómetro centígrado marca 24 grados. En la mañana y en la noche se siente algún fresco; baja el termómetro por lo regular a 19 grados. Un día tuvimos 17 grados.

Ya don Juan Serra (súbdito italiano que vivió muchos años en Granada ejerciendo su oficio de relojero) estaba instalado allí. Hizo muy buen negocio. Ahora cuenta que le cae más trabajo del que puede hacer. Con frecuencia viene a verme. Le gusta mucho Tegucigalpa por su delicioso clima, por su aspecto pintoresco, porque no hay polvo y sobre todo porque circula plata buena y no billetes inmundos. Que casualidad. Poco hace escribí en mis anotaciones que en esta ciudad hacía falta un relojero. Ojalá pudiera venir un sastes, un zapatero, un dentista y un platero.

Para ese tiempo nos inquietó mucho la noticia de que estaba en México la peste bubónica. Por Tegucigalpa no dejó de causar ésto algún cuidado, aunque no se vio que hicieran nada para prevenir contra tan temible plaga; y por cierto que si la bubónica llegara Tegucigalpa no quedaría con vida una sola persona, pues población más sucia que esa no es posible verla ni aún imaginársela. Nicolás Jiménez se curaría del asco residiendo tres meses allí.

Don juan Serra que la visitaba con frecuencia decía que le iba bien, pero que encontraba ese país «algo bárbaro». Esto era en el mes de octubre de 1902.

Aquí ahora algunas observaciones que anoté en mi diario durante ese tiempo:

Del atraso de Honduras no tienen cabal concepto en el resto de América Central. La suciedad de la gente del pueblo de Tegucigalpa se le ve aquí en las mesas. A nadie le gusta en Tegucigalpa el aceite: nunca se le ve aquí en las mesas. Las Tegucigalpinas tienen por lo general la voz dulce y hermosa cabellera. Trino, Trina (Trinidad) es nombre común aquí en Tegucigalpa como en Costa Rica Adela, Adelia y Adelaida. Busqué cierto día un tarrito con goma o cola (gomera para escritorio) y me costó trabajo hallarla. He buscado un pañuelo de seda inútilmente en todos los comercios de Tegucigalpa; por fin se halló en un tenducho de chinos en Comayagüela. En la mesa de don Santos Soto —rara excepción— ponen aceite. Creo que en ninguna parte le ponen tanta agua a la leche como aquí; es carísima. No hay una sola librería, ni un dentista, ni un relojero. Otro nombre común entre las mujeres de Tegucigalpa es Camila. La mantequilla aquí es horrible, no la lavan, ponen la nata en un costal para que vaya poco a poco filtrándose el suero y ya está hecha la mantequilla, que hiede a cosa fermentada. Punto menos que posible es verles los pies a las mujeres de Tegucigalpa, porque andan muy mal calzadas. Todo el mundo le habla a uno del clima y del agua de Tegucigalpa; creen que son inseparables. Se usa muy poco el cepillo de dientes en Tegucigalpa. Es rarísimo ver dentaduras limpias en esta ciudad que se apellida culta. Mariana es otro nombre de mujer que se usa mucho en Honduras. La carne que se vende en Tegucigalpa es detestable. Planchan aquí pésimamente y tardan hasta dos semanas para volver a uno la ropa. Poquísimo se bañan en Tegucigalpa. Cuando uno dice que va a bañarse no falta quien le haga a uno esta observación: «se va a enfermar». La ensalada de lechuga la hacen aquí picando la hierba como el quelite para ataco en Nicaragua. En vez de vinagre y aceite, sal y pimienta, sumergen las hojas picadas en agua de azúcar. La mayor parte de las señoras y señoritas de Tegucigalpa huelen mal, porque a más de bañarse poco, se cambian cada quince días de ropa interior. Son rarísimas las casas de Tegucigalpa en que hay excusados y a las bacinicas las llaman mojoneras. No se usa en Tegucigalpa hacer regalos: son rarísimos. La cama en Tegucigalpa es una tabla, sin colchón ni cosa parecida.

7

Nota de voz
Giménez Gonzáles, Hotel Honduras
3:42 p.m., 7 de enero 1935

Hace un momento salió de mi hotel el señor Giménez Gonzáles, también conocido como *Pelo de Champa*, un viejo amigo del poeta, todo un anciano ya. Me sorprende conocer que aún viva, por cómo era cuando lo conocí hace años, no creí que llegaría tan lejos. Dice que dejó el alcohol y ahora trabaja para el general Camilo Reina, que es muy estricto con eso de los vicios. Su paso lento y la sonrisa de orate recuerdan al alcohólico que alguna vez fue. Vino a verme cuando supo que andaba por aquí indagando sobre Juan Ramón. Seguramente también vino a recoger información sobre mí para dársela a su jefe. «Tengo algo que contarle», me dijo, y sin darme oportunidad de sacar mi equipo de grabación comenzó a contarme la historia que ahora grabo con mi voz.

«Una vez Juan Ramón me pidió que le acompañara como mensajero de una mala noticia» —me dijo, su voz carrasposa y seca de fumador empedernido—. Según él, uno de sus amigos se había ahogado en una quebrada a la que disfrutaban ir, y Juan Ramón se autonombró responsable de transmitir la desgracia a la familia del finado.

«Llegamos a la casa de la familia, era una casa sencilla, pero con buen gusto. Me sorprendió ver la dulzura de aquel hogar. El padre, con los espejuelos en la cara e inclinado sobre una pequeña mesa a un extremo de la sala, daba arreglo a un viejo juguete mecánico; la madre amamantaba al bebé en una silla mecedora y le cantaba canciones de cuna, y dos niñas jugaban en el centro con pequeñas muñecas de trapo».

Don Giménez relató cómo Juan Ramón se detuvo en la ventana y contempló estático el retrato de la familia.

—Qué bello —dijo—. Qué bello y qué doloroso.

«Yo vi por la ventana, buscando entender sus palabras», dice don Giménez.

—Aquí estamos —continuó Juan Ramón—, poseedores de la muerte. Deberíamos volver, dejar a esta familia disfrutar de esa paz que tanto aman, no decir nada, irnos lejos. Pero nuestro silencio no espantará el dolor que traemos; es más grande que nuestro deseo.

«Tocó la puerta. Al momento una de las niñas corrió a abrirnos. Yo vi a Juan Ramón con el sombrero en la mano, la cabeza baja, hablando con el padre de la familia. Luego el grito de la madre, el padre corriendo por la calle en busca de los restos mortales de su hijo y Juan Ramón, de pie junto a la puerta, llorando con su sombrero aún en la mano».

—Maldito de mí —dijo llorando Juan Ramón— soy el heraldo de la muerte.

Pregunté a don Giménez por la obsesión de Juan Ramón con la muerte. El anciano informante asegura que sí; Juan Ramón hablaba de la muerte con mayor regularidad que todos.

—Yo sé cuál es la voz de la muerte, me dijo una tarde Juan Ramón —dice don Giménez.

—¿Cuál es? —le pregunté, curioso.

—El grillo.

—¿El grillo? —repetí, conteniendo la risa.

—Eso dijo él —respondió Giménez.

Don Giménez contó entonces la historia que dice le contó Juan Ramón.

«Cerca de donde vivo, hace unos días se murió un vecino. Un viejo zapatero que murió quién sabe de qué, del corazón, de tuberculosis, de hambre, o por el guaro tan malo que bebía cada día. La cosa es que esa noche que murió, yo estaba en mi cuarto inmerso en la lectura, cuando oí el aullido de celo de la mujer; era un aullido ronco, profundo, como el de un alma en pena. Después oí el llanto de los huérfanos».

—¿Y el grillo? —pregunté, impaciente por escuchar el final de la historia.

Don Giménez continuó su relato, y por un momento me pareció escuchar en su voz a la de Juan Ramón, muerto hace ya tanto tiempo.

—Como podés imaginar, ya no pude seguir leyendo. ¿Cómo iba yo a volver a mi mundo de ensueño con el olor a muerte apenas a una habitación de la mía? A veces pienso que la muerte me persigue —dijo Juan Ramón, según don Giménez, sumergiéndose repentinamente en su propio pensamiento—.

—La muerte nos persigue a todos —afirmé—. ¿Qué pasó luego?, pregunté.

—Pues Juan Ramón contó que de repente los lamentos dejaron de oírse.

«Reinó un silencio de tumba, similar al que debe haber

adentro de un sepulcro y escuché al grillo. Estaba oculto quién sabe dónde. Primero comenzó su violín macabro con ciertos intervalos, que luego fue acelerando hasta convertirlos en un chirrido monótono e insoportable, sin término, fúnebremente largo, venido de una noche pavorosa, como del fondo de la eternidad».

—¿Y ese es el sonido de la muerte? —inquirí al viejo.

—Claro que sí, ese es. Ahora yo también lo creo. Juan Ramón dijo que aquel chirrido sonó en su cabeza durante tres días y tres noches.

Al despedirse, Giménez me prometió que volvería para contarme más de Juan Ramón. Lo vi salir por la puerta del hotel con paso lento.

8

Carta del poeta Froylán Turcios
San José de Costa Rica
Diciembre de 1934

Cuando recibí su carta no podía sino alegrarme de saber que alguien finalmente estaba haciendo honor a nuestro amigo Juan Ramón y, en efecto, tengo muchas anécdotas con él, algunas incluso en las que usted aparece como personaje de esas pequeñas tramas y, para responder a su solicitud le diré un par de historias de las que atesoro, esperando algún día compartir en un anecdotario que estoy trabajando.

En aquellos días, cuando Juan Ramón, sufría el tormento de amor por Lolita, y cogió la costumbre de realizar excursiones cinegéticas a la hacienda familiar de los Zúñiga, por los campos aledaños de El Trapiche.

Buscando impresionar a la bella Lolita, mandó a hacer un traje de cazador con el sastre Calona, basado en un modelo que encontró en una antigua revista. Era un traje de cazador de leones de la selva asiática, con gran número de profundos bolsillos, con cuello erguido y amplio cinturón y faja sobre el pecho que a mí me recordaba, por el kaki gris azulado, al usado por los mílites del día. Usaba además un sombrero de anchas alas y unas altas botas amarillas y brillantes. No sé dónde consiguió el rifle, pero lo llevaba atravesado en la espalda.

Era domingo. Los tambores y clarines del cuartel San

Francisco anunciaban la parada. Lo vi pasar frente a mi casa seguido por una veintena de muchachos. Cuando le pregunté adónde iba, me dijo que a matar un venado o un cerdo de monte por los potreros de El Hato de Enmedio y Suyapa.

Como puede imaginar, me reí de él. Yo sabía que era más fácil encontrar un cajón de oro enterrado en el Jazmín que uno de esos animales en aquellos lugares. Pero incluso si los encontraba, conocía muy bien las habilidades de tirador de Juan Ramón.

A la mañana siguiente apareció por mi casa para contarme sus peripecias frente al juez de policía.

«Después de corretear muchas horas por los montes, bajo un sol africano, sin ver ni un infeliz conejo, cansado y sudando, me refugié en una especie de enramada llena de fresca sobra, cerca de El Trapiche. Tirado en el suelo soñaba en el paisaje fantástico, en grato reposo, cuando sentí el ruido de una respiración en el fondo del penumbroso lugar. Con el oído alerta miré hacia adentro…».

Juan Ramón estaba seguro que lo que miraba era un enorme venado de carga cornamenta, inmóvil sobre un montón de hojarasca. Así lo describió, cuando contó haber apuntado y disparado.

—¿Huyó el animal?, pregunté ansioso.

—No. El animal mugió de dolor, agitándose en violentas convulsiones. Y al acercarme…

—Se escapó —dije, seguro que si hubiera dado captura al venado me lo habías dicho ese mismo día.

—¡Qué diablos! Al acercarme me di cuenta que era una

vaca y que el tiro le entró por un ojo.

Me reí mucho. Él se carcajeó conmigo. Luego continuó:

—Rápidamente me alejé de aquel lugar y no me detuve hasta llegar a El Guanacaste. Creí que nadie me había visto, pero me equivoqué. El dueño del semoviente dijo que la vaca producía 10 litros de leche diarios, y me demandó por 80 pesos, 50 si le dejaba usar la carne.

Allí terminó su experiencia como cazador. Vendió el traje al diputado Trejo con todo y botas y sombrero mexicano, éste lo dio a un vivandero a quien vi con él en varias ocasiones por el mercado Los Dolores.

El juzgado lo persiguió por algún tiempo, pero Juan Ramón, decidido, no volvió a pagar un centavo después de aquel primer pago de 30 pesos que hizo. Cuando llegaba el policía con el citatorio, él lo increpaba, advirtiéndole al juez «sietemesino» que, si continuaba molestando al primer poeta de Honduras, publicaría sobre él y su asquerosa «pocilga llena de tontos, de tinteros con mugre, de negras telarañas y legajos de inmundos papeles», un artículo que lo conduciría a la tumba o al manicomio.

Así lo dijo, y el pobre juez, un hombre cachetón y pelón, no quiso insistir en el incidente de la vaca.

No fue el último incidente que tuvo Juan Ramón con las armas. Una tarde, como a las tres, en 1899, tocaron a la puerta de mi casa. Era Arturo Oquelí, uno de los cipotes que Juan Ramón usaba de mandadero.

—Aquí le manda el poeta —me dijo, entregándome una carta escrita por él.

La carta era bastante escueta, decía básicamente que debía

hacerle de padrino en un duelo esa misma tarde.

—¡Un duelo! —exclamé horrorizado— ¿qué le pasa a Juan Ramón?

—Parece que es una disputa entre él y don Enrique Pinel —respondió el cipote—, han estado insultándose toda la mañana y ahora se van a caer a tiros.

Inmediatamente me vestí y salí de la casa siguiendo al muchacho, que me llevó por el puente Mallol, pasando por donde ahora funciona el colegio San Miguel en Comayagüela, hasta la cercanía del cementerio general.

Al llegar vi a Juan Ramón, totalmente borracho, que amenazaba con un viejo y oxidado revólver. A pocos metros de él estaba su amigo Enrique Pinel, no menos borracho que el poeta, con otra arma igual de vieja. Yo traté de hacerlos entrar en razón, pero Juan Ramón ignoró mis súplicas.

—Vas a pagar todas tus injurias —le dijo—. Luego se dirigió a mí: «No le voy a dar el placer a éste imbécil de decir esas barbaridades impunemente».

Midió con los pasos la distancia, pero una pedrada de Pinel rasgó el aire y cayó sobre su cabeza.

—¡El imbécil es usted, poeta! —gritó Pinel.

—¡Paren ya los dos! —supliqué, desesperado.

Pero mi grito se enmascaró por el disparo de Juan Ramón sobre Pinel, que le causó una herida en el bajo vientre.

—¡Ya lo desgracié! —dijo Juan Ramón, sumamente preocupado, al ver caer herido a su amigo.

Pinel intentó disparar con su pistola, pero el viejo revolver que le había facilitado Molina Larios se trabó.

Juan Ramón soltó el revólver y corrió a auxiliar a Pinel,

que se desangraba rápidamente. Yo le ayudé, y entre los dos lo cargamos buscando ayuda.

—¿Cuál es la pelea? — le pregunté mientras avanzábamos con el herido a una casa vecina. Pinel, ensangrentado, con sus brazos extendidos sobre nuestros hombros, se quejaba del dolor.

—El amigo acá injurió a la poesía y no quiso retractarse —dijo Molina.

—¿Y qué dijo usted? —pregunté a Pinel, que aún conservaba el habla.

—Que más le hubiera valido a Verlaine no haber salido de la cárcel— respondió el herido.

—¡Cómo se atreve a decir eso otra vez, semejante idiota, vea a donde nos tiene! —gritó el poeta, nuevamente molesto.

—No me llame idiota, poeta, que ya le dije que no me gusta.

—Pues tenga la cordura de reconocer el aporte que Verlaine dio a la poesía francesa.

—No, si eso lo reconozco. Pero dispararle a Rimbaud fue la estupidez más grande que pudo hacer —dijo Pinel—. Pero no se preocupe poeta, que, según veo, dispararle a un amigo es parte del oficio de portaliras.

Llegamos a una casa cerca del cementerio general, un pequeño cuartucho de bahareque con techo de paja. Una pobre familia nos abrió la puerta con evidente expresión de espanto.

—¿Qué le pasó? —preguntó el anciano de la casa.

—Idioteces de borrachos —afirmé, ejerciendo presión en la herida para contener la hemorragia. En seguida lo envié a buscar al médico, quien llegó rato después con su maletín de instrumentos quirúrgicos y dos gendarmes. A Pinel lo trasladaron al Hospital General, y a Juan Ramón al cuartel San Francisco en calidad de preso.

—¡Asegúrate que lo atienda el doctor Motz! —me dijo el poeta al ser arrestado—, ¡todos los demás son unos matasanos!

—¿Cree que sobreviva? —me preguntó el viejo de la casa.

—¿Pinel?, oh, sí —respondí—, con tanto guaro en el cuerpo me sorprendería que una bacteria sobreviva en él. Quien me preocupa es Molina —dije—, ese no sé cuánto tiempo más aguante.

Afortunadamente no me equivoqué con Pinel, en el hospital le extrajeron el proyectil que entró sin tocar ningún órgano vital. A los días Juan Ramón salió libre, y un par de semanas después ambos vagaban nuevamente borrachos en los bares de Cipile.

9

Carta del poeta Juan Ramón Molina
a Dolores Hinestroza. Tegucigalpa, 1902

Mi adorada:

Estoy convencido de la sinceridad y de la pureza de tu amor, al que estimo mil veces más que todos aquellos que he inspirado. Me siento orgulloso, no solo de ser el objeto de tu pasión, sino de haber sabido inspirar esa pasión, desinteresada y noble, ardiente y avasalladora. Bien debes comprender que ese, más que tu belleza y vivacidad, es el mérito que tienes a mis ojos de hombre observador y frío, acostumbrado a no ceder ante ninguna mujer, ni a doblegarse ante sus lágrimas, fáciles y prontas a correr. Sé que ese llanto viene de una fuente pura, de un corazón que no está corrompido, de una mujer, en fin, que todavía tiene la inefable dicha de amar y de llorar sinceramente, entregando su suerte a la buena fe de un hombre; por eso te reitero mis promesas de antes, te juro quererte como te he querido, hasta cuando llegue la hora de darte mi mano, si es que con eso te puedo hacer feliz.

Te he pintado con toda claridad lo malo y lo bueno que tengo, las dichas y desdichas, las felicidades y desgracias que pueden caernos encima; te lo he pintado así, cruda y brutalmente, para que reflexiones profundamente. Bien me conoces: aunque algo poeta soy poco soñador. La vida es cosa dura y terrible; el hombre más amable e ideal, se convierte a veces en un ser grosero; el amor, que era al principio un aromático y dulce vino, acaba por transformarse en vinagre. En estos países, sobre todo, la lucha por la vida es una cosa triste. Para casarse, pues, hay que meditarlo. Bien sabes que, si lo quisiera, fácilmente me haría de una mujer rica; pero también conoces demasiado mi carácter, que se rebela ante semejante yugo, impuesto por el interés. Prefiero cien veces la lucha, brazo a brazo con la suerte, al lado de una mujer pobre como tú, pero enamorada y agradecida a su marido, colgada dulcemente de su cuello, sufriendo y gozando con él, convertida, en fuerza de su pasión, en carne de su carne y en hueso de sus huesos, que estos matrimonios viles, que son verdaderos tratos de compra y venta.

Por consiguiente, como nuestras relaciones en nada se han relajado, quedamos en nuestro compromiso de antes. Ninguno de los dos se va. Quiera la fortuna que algún día no te arrepientas de haberme amado. Del modo que sea, mi corazón siempre será tuyo, porque tu amor lo ha refrescado como ha refrescado la tierra la lluvia que cae en los momentos en que escribo estas líneas. Cuando me acuerdo de ti, en los momentos de tristeza y tedio, en mi alma se opera un fenómeno extraño: me siento dulce, amable y contento; mis pensamientos sombríos se tornan azules, todo brilla y sonríe a mi alrededor. ¿Sabes por qué? Porque eres la juventud, el amor y la vida que me sale al paso y me dice: «bébeme, sáciate, sé feliz un momento porque mañana será tarde. La suerte te pone esta mujer en tu camino, para que aprendas que el amor de ella vale más que todas las *cosas del mundo. Hazla tu esposa, porque mañana, de aquí a algunos años, será tarde».*

Ya ves, sí sé apreciarte, sí sé comprender tu amor, sí sé estimarlo en lo que vale. Mañana en la noche, como a las ocho, irá el muchacho con una carta en la cual me dirás cómo quieres que sean, de hoy en adelante, nuestras relaciones. Anda al parque esta noche, que quiero verte.

Tuyo
Ramón.

*Carta enviada por Rafael Heliodoro Valle.

10

Juan Ramón Molina se casó en 1902. Su boda fue apoteósica, a ella concurrió lo más granado de la sociedad capitalina: intelectuales, generales, políticos y diplomáticos llegaron a dar la bendición al poeta y su bella esposa Dolores Hinestroza. Yo que le conocía desde hace muchos años, nunca lo vi más radiante: bello, con su traje de dandi, su piel resplandeciente como la de un moro generalife, la cabellera castaña adornando su cabeza altiva, con su mostacho y su rostro claro. Dolores —la bella Lolita que tanto enamoró al bardo—, con su vestido blanco cual la más hermosa entre los querubines, su cuello de cisne y su cabellera negra con visos de oro.

Luego de la ceremonia en la catedral de Tegucigalpa, nos trasladamos al salón donde tendría lugar la recepción. Varias mesas fueron acomodadas en el patio de la casa de los Hinestroza para ofrecer toda clase de banquetes y bebidas. Tuve la suerte de compartir la mesa con dos distinguidos hombres, el doctor Policarpo Bonilla y el doctor Roberto Motz, quienes, invariablemente, hablaban de política.

—No cabe duda de que el general Sierra es un hombre de acción y espíritu progresista —dijo el doctor Bonilla—. Es incuestionable su honradez en el manejo de los fondos públicos. Con la disciplina que le está imponiendo a los funcionarios, su gestión quedará entre los gobiernos más honrados de la historia, como la administración del general Cabañas.

—¿Usted se excluye, doctor? —preguntó irónico el señor Motz.

—Lamentablemente, amigo mío —siguió el doctor Bonilla—, mi administración se vio empañada por un par de escándalos vergonzosos que no supe controlar. Pero hay que llamar a la atención que el general Sierra está construyendo un gobierno basado en el temor de su mano temperamental, y eso es un mal paso en la política. Aún tenemos fresco el recuerdo de José María Medina, ¿no le parece?

—Así es, pero todos coincidimos en que los tiempos han cambiado. Esos excesos ya no son posibles.

—Siempre habrá cinchoneros en Honduras, mi querido amigo, y no podemos colgar a cada persona que nos contradice.

—Pero no puede negar que Medina terminó con los alzamientos en Olancho.

—¿A costa de cuánto? ¿Quinientos… mil… dos mil almas? Ni siquiera sabemos a cuántos ahorcó Medina en Olancho.

—Y olvida usted a los deportados.

—Y las propiedades confiscadas y los pueblos arrasados. ¿Qué país vamos a gobernar así mi querido doctor Motz? ¿Es eso lo que queremos, ser presidentes de un camposanto? Ya se agrupan las fuerzas que lanzarán su candidatura en las próximas elecciones y seguramente el general Manuel Bonilla se lanzará también. Ambos sabemos que entre ellos dos no hay mucha simpatía.

—¿Y cree usted que Sierra quiera quedarse en la presidencia?

—Pues él dice que no, pero del dicho al hecho hay una

distancia enorme...

Al escucharlos, no pude contener el impulso de agregar un elemento a la discusión. El doctor Marco Aurelio Soto llegaría al país con intención de participar en la contienda electoral, y así les hice recordar.

—Oscuro personaje, con él sólo llegan las malas noticias. ¿Ve lo que le digo, Motz? —dijo el doctor Bonilla.

—¿Y a quién cree usted que lance Sierra como sucesor? —preguntó Motz.

—Difícil es aún decirlo. Pero si con Soto viene el fantasma de Medina, lógico es que otro fantasma lo enfrente.

—¿Arias?

—Podría ser.

—¿Pero no le parece muy joven?

—Yo tenía solo 36 años cuando fui presidente —afirmó Bonilla.

Más tarde, en el transcurso de la recepción, Juan Ramón se acercó a mí con varios platos de comida en la mano.

—Quiero que me acompañés —me dijo.

Yo me sorprendí al reconocer que no había tomado una copa en toda la noche.

—¿Y esto para qué? —pregunté viendo los platos de comida.

—Ya vas a ver.

Salimos de la casa y avanzamos varias cuadras con dirección al Barrio Abajo, donde el poeta solía soportar sus malos días de pata.

—Vi que estabas hablando con el doctor Bonilla —me

dijo mientras caminábamos.

—Así es.

—¿Y qué dice?

—Lo mismo que dice en todos lados, que el general Sierra está siguiendo los pasos de Medinón, que está cometiendo un error, que la libertad de prensa, eso…

Molina no respondió. Siguió avanzando hasta el río, en la oscuridad de la noche, con la confianza de quien conoce el camino. Al rato llegamos a la esquina de la Escuela de Artes y Oficios, un edificio recién construido de adobe, al estilo colonial, con un frontón greco clásico, tres acroteras en la cornisa, dos pilares de piedra a los lados de dos enormes puertas de caoba y rodeado de grandes ventanales que daban al río, desde donde podían distinguirse las suaves luces de las lámparas de gas de Tegucigalpa. En las sombras distinguí a un grupo de pordioseros sentados frente a una pequeña fogata y arrimados al muro de piedras.

—¡Su majestad, poeta! —dijo uno de los hombres acercándose alegre.

—Mi estimado Duque, Benito Pelusanga —dijo el poeta, inclinándose en reverencia frente al borrachín.

Inmediatamente los demás hombres se acercaron. Juan Ramón procedió a entregar los platos de comida. Había entre aquellos pordioseros y el poeta una evidente camaradería.

—Te presento a mi corte real —dijo Juan Ramón—, al Duque Benito Pelusanga ya lo conociste. Nada qué ver con el nefasto Duque de Alba y sus tribunales de sangre, ¿verdad Duque?

—Si poeta, nada qué ver.

—Este es el Conde Próspero Bambita; el Marqués don Cruz Managua, muy bueno con la guitarra, por cierto; y el Barón Giménez González, Alias Pelo´echampa. Señores, un saludo a nuestro distinguido invitado.

Todos los hombres se inclinaron al mismo tiempo, extendiendo el pie derecho al frente, doblando el pie izquierdo, con una mano atrás y la otra en el plato de comida, en una sorprendente muestra de habilidad y equilibrio.

—Gracias, majestad —dijo uno, que sin más protocolo comenzó a devorar la comida.

—Tómese un trago con nosotros, su alteza, para celebrar su casorio —dijo Pelusanga, extendiendo una botella de aguardiente al poeta.

—Oh no, mi Duque, hoy no puedo acompañarlos. Le prometí a mi Lolita que no probaría alcohol y quiero cumplirle.

—Las mujeres, va´poeta —comentó el Marquéz Cruz Managua con la boca llena—, con sus tetas jalan más que una carreta.

Todos soltaron una carcajada escandalosa, incluso Juan Ramón, quien amigable golpeó el hombro del borracho.

—¡Vea!, salió mejor que yo con la rima.

—Ha estado practicando toda la tarde —interrumpió el Conde Próspero Bambita—, ¡decile el resto, Managua!

El borracho terminó de pasar el bocado con un trago de aguardiente, arrugó la cara ante el amargo néctar y dijo:

—Que jala más un pelo de coño que veinte burros de Logroño.

Los borrachos soltaron una carcajada aún más fuerte que

la anterior, y uno de ellos se retorcía, doblándose en dos de tanta risa. Juan Ramón, luego de reír con ellos, se puso serio.

—Más respeto señores —les dijo—, es de su majestad, la reina Dolores Hinestroza de Molina, de quien están hablando.

11

Benjamín Franklin comienza describiendo una memoria que guarda de su infancia: una fría mañana de invierno, un hombre se acerca sonriente con un hacha al hombro.

—Mi lindo niño —le dice—, ¿tiene tu padre una piedra para afilar hachas?

—Sí, señor —responde el niño.

—¿Me dejas afilar el hacha con ella? —pregunta el hombre.

El pequeño, embrujado por las dulces palabras de aquel amable señor, trabaja sin descanso. El visitante no para de cargarlo de cumplidos.

—Estoy seguro de que eres uno de los mejores chicos que he visto en mi vida —le dice al niño, al ver su empeño con el hacha.

Por más que el niño trabaja, el hacha (que es nueva) no termina de afilarse. Trabaja y trabaja sin avanzar, hasta que suena la campana de la escuela. El niño se disculpa porque tiene que irse y el hombre se molesta, insultándolo, llamándolo holgazán, truhán, sinvergüenza…

***

No es difícil imaginar cómo el Tamagás de Coray —así se le conocía al general Terencio Sierra—, de una epidermis tan fina para la crítica, entendió el artículo que publicó Juan Ramón en el *Diario de Honduras*. Era una traducción de la nota de Benjamín Franklin, An Ax to Grind, pero Sierra la entendió como un ataque directo a su persona. Previendo la guerra que se gestaba desde aquel medio contra su administración, mandó a arrestar al poeta.

—Métanme a ese borracho en la cárcel —ordenó a sus subalternos.

Hay que resaltar a este punto, que Juan Ramón, con ese aire de semidios griego que tenía y el releje de su pluma, sagaz, implacable, que atacaba igual a santos y devotos, se había hecho acreedor de una extensa colección de detractores que lo calificaban de soberbio, altanero, altivo, inmodesto, presuntuoso, orgulloso, arrogante, vanidoso, engreído, impertinente, jactancioso, endiosado, hinchado, fatuo, pedante...los calificativos que se usaban para referirse a él iban desde "el más ateo, incrédulo, impío, irreligioso, agnóstico, escéptico y nihilista", hasta "descreído, irreverente y hereje".

El propio general Sierra lo calificó como l´enfant terrible, con cierto sentido del humor. Pero eso fue antes de que lo mandara a arrestar.

A las once de la mañana llegaron los gendarmes a la casa del poeta. Tocaron a la puerta, una, varias veces. Juan Ramón había estado de farra toda la noche y a esa hora aún dormía. Cuando Dolores abrió la puerta, los soldados expresaron la razón de su presencia.

—El comandante manda a llamar a Juan Ramón Molina —dijo el indio uniformado.

—Si tanto quiere verme que venga él —respondió el poeta desde adentro, aún adormilado.

—Tenemos órdenes de llevarlo al cuartel San Francisco por las buenas o por las malas —remarcó el otro agente.

Y sin esperar más respuesta del poeta, lo sacaron de su casa a empujones, haciéndolo avanzar a culatazos por toda la calle real hasta el cuartel San Francisco.

—Está usted acusado de atacar al gobierno del general Sierra —dijo el comandante, sin levantar la vista de su libreta.

Juan Ramón, de pie en el cuartel, miraba las sucias paredes de abobe.

—No sé de qué está hablando usted —dijo— ese artículo ha salido, por lo menos tres veces en los últimos cinco años, incluso durante el gobierno de Policarpo Bonilla.

El oficial sacó del escritorio la edición arrugada del *Diario de Honduras*.

—¿Y si ese artículo es un ataque contra el gobierno, por qué no mandan a arrestar a Benjamín Franklin? —comentó el poeta, dibujando una irónica sonrisa en el rostro—, él fue quien lo escribió, no yo.

El comandante lo vio directamente. Levantó la mano con un movimiento mecánico para ordenar a otro agente que le infiriera un golpe, mismo que se plantó con la culata del fusil a la altura de los riñones, doblándolo en el acto.

—Conmigo no vas a andar con esas pedanterías —dijo el comandante—. ¿Vos publicaste este artículo para joder a mi general? —preguntó.

—El artículo se publicó en memoria de una de las mentes más brillantes que ha parido la tierra americana —respondió el poeta, haciendo un esfuerzo por levantarse.

El soldado, en un arranque de brutal iniciativa, lanzó un puntapié al estómago de Juan Ramón, levantando su cuerpo varios centímetros del piso.

—¿Qué está haciendo usted soldado? —preguntó el comandante.

—Perdón, señor —se disculpó el soldado—, es que pensé que me había dado una orden para que le diera una patada.

—Cuando quiera que le dé una patada al poeta, se lo ordenaré explícitamente, entendido.

—Sí, señor.

—Hay que cuidar a nuestro príncipe, ¿verdad poeta?, ¿así es como le dicen verdad, príncipe?

Juan Ramón no respondió, ocupado como estaba tratando de llevar aire a sus pulmones.

—Le hice una pregunta a su majestad: ¿el Estado de Honduras está obligado a cuidar de sus baluartes culturales, verdad?

El poeta no respondió. El comandante giró su cabeza indicándole al soldado que golpeara a Juan Ramón. Pero el soldado no se movió. Finalmente, el comandante dijo:

—¿Qué le pasa hoy a usted soldado, amaneció tonto?

—¿Señor?

—Que no entiende que le estoy dando la orden de golpear al príncipe poeta.

—Sí, señor —dijo, tumbando de un golpe en el vientre a Juan Ramón.

Luego del interrogatorio que dirigió el comandante Guadalupe Reyes, Juan Ramón fue golpeado durante varias horas en las mazmorras del cuartel San Francisco y, posteriormente, trasladado a las mazmorras de la Penitenciaría.

***

Juan Ramón despertó por la madrugada, al escuchar los pasos del gendarme que llegaba por el pasillo. Ya no sentía el intenso olor a orines y excremento que golpeó su olfato al llegar al cuartel, ni le molestaban los gritos y chillidos de los presos que, desde algún rincón de las mazmorras, suplicaban la muerte. Temía sí, a las ratas que circulaban libremente a orillas de las celdas, comiendo los restos de los alimentos que las esposas de los presos llevaban para sus maridos, mordisqueando la mierda seca en las esquinas y —más de alguien aseguró— arrancando los dedos de los pies de los prisioneros.

—Vienen por mí —se dijo, al escuchar abrirse el portón de su celda.

Tenía varios días de estar encerrado en aquella mazmorra, y había pensado que lo dejarían morir incomunicado. Pero escuchar aquellas pisadas le creó una mezcla de terror y esperanza. Esperanza de volver a ver la luz del día, salir en libertad y recuperar su vida. Terror por el paredón de fusilamiento o la Ley fuga. Él mismo había dicho en el discurso dedicado a Justo Rufino Barrios, que «para gobernar un país como el nuestro, requería del temple implacable de un dictador». Y así lo creía. Quizá nunca pensó que ese temple estaría en su contra algún día.

—¡Príncipe! —dijo el guardia al abrir la puerta.

—¿Adónde me llevan? —preguntó el poeta, asustado.

—¿Adónde creés?, a trabajar.

Así fue sacado de la prisión y llevado hasta donde se construía la carretera del Sur.

***

El general Sierra mandó a construir uno de los proyectos más importantes para el desarrollo del país: la carretera del Sur, importante para la exportación de la minera del Rosario y para llegar a sus fincas en Choluteca.

Hasta ahí fue llevado Juan Ramón. Sus heridas y moretes aún no curaban del todo. Le fue colocado un grillete en el pie, junto a otro prisionero de nombre Rubén Núñez Romero, mestizo regio de las llanuras sureñas.

Cuando Molina conoció el nombre de compañero de grillete, no pudo más que reír por la ironía.

—Siempre supe que compartiría la misma suerte de Rubén —dijo—, pero honestamente pensaba que sería el otro Rubén.

—¿Y usted por qué está acá, compa? —preguntó Rubén Núñez.

—Por idiota, ya ves que con el general Sierra también es un delito carecer de facultades mentales. ¿Y vos por qué estás acá?

—Maté a un coronel que violó a una muchacha en mi pueblo —dijo Rubén Núñez.

—Pues, un honor compartir el grillete con un hombre de una sola pieza —comentó Molina, estrechando la mano de su compañero de infortunio.

Las manos principescas del bardo sufrieron la más amarga experiencia desde el primer día de trabajos forzados. Acostumbrado como estaba al guante y la pluma, nunca pudo familiarizarse con el pico y la almádana. Pero Rubén Núñez, con su musculatura de toro, tenía la fuerza de dos hombres y al descuido de los gendarmes ayudaba a Juan Ramón con parte de su trabajo. Más de alguna vez fueron sorprendidos, Rubén trabajando y Juan Ramón contemplando el cielo azul y lejano, ocasión que los custodios aprovechaban para soltar sobre el poeta tantos latigazos como el clima candente del Sur le permitía.

—¡Y vos quién te creés que sos, mal parido, para estar acá güevoniando! —le gritaban.

Juan Ramón pasaba las noches planificando el escape de su cautiverio. Estudiaba los movimientos de los custodios, sus debilidades y vacíos, viendo las paredes de las bartolinas, imaginando la fórmula que le devolvería la libertad que tanto extrañaba.

Logró poner de su lado a Rubén Núñez explicando el plan de escape:

—Entre los dos lograremos someter al gendarme, tomaremos su arma y nos iremos rumbo a Amapala —dijo.

Afortunadamente para él, el plan nunca se realizó. Con los días fue puesto en libertad y volvió con su esposa en Tegucigalpa. Pero Rubén Núñez sí logró escapar, haciendo uso del plan de Molina. Viajó a Nicaragua, donde más tarde se sumó al ejército de Manuel Bonilla, en el alzamiento contra el gobierno de Terencio Sierra.

12

Conversación con el licenciado Rafael Alvarado Manzano,
Rector de la Universidad de Honduras.
Restaurante Duncan Maya, edificio Medina Planas.
Tegucigalpa, enero de 1935.

Una tarde de mayo del 1902 —aún no había sido nombrado decano de la Facultad de Derecho el abogado Durón—, aprovechando el tránsito por el país de un conocido músico alemán, Rómulo organizó una peña cultural en su casa de habitación, donde se concentró la *crème de la crème* de la sociedad capitalina. Engalanaron la velada el *Concierto de violín* de Robert Schumann y la lectura del poema *El águila* de Juan Ramón Molina, que muchos de nosotros habíamos ya leído, pero pocos habíamos tenido la oportunidad de escucharlo de su voz.

Don Rómulo guardó siempre una profunda admiración por la poesía de Juan Ramón Molina. Si bien, como muchos, le criticaba sus nefastos períodos alcohólicos, no dejaba de invitarlo a recitar sus versos en las tribunas culturales.

En la historia de Honduras, pocas personas han tenido el compromiso y ahínco en la promoción de la cultura y las letras, como el maestro Rómulo Ernesto Durón y Gamero; abogado, poeta y político liberal, que desde las páginas de Honduras Literaria compartió con todos, la más fina prosa y los más magistrales poemas de producción nacional...

Yo soy la reina de las aves. Todas,
desde aquellas que entona sus cantares
en la verde arboleda,
hasta el petrel que sin temores rueda
sobre el lomo encrespado de los mares,
del huracán bajo la cruda saña,
sujétanse a mi inmenso poderío:
mi trono es la montaña
y mi reino el vacío...

Aún recuerdo claramente los poderosos versos, el águila imponente que sube a los cielos —cual alegoría del poeta que busca, como Ícaro, llegar al sol— y cae, bruscamente, fulminada por un rayo.

Calló el ave blasfema...
En ese instante
un indignado y repentino rayo,
hecha cadáver la arrojó al abismo
en espantosa rotación. El trueno,
de pavorosas amenazas lleno,
bramó desde el confín del horizonte:
y un negro nubarrón que descendía,
una lágrima fría
vertió sobre la cúspide del monte!

—Rubén Darío es una paloma y yo soy el águila —dijo Juan Ramón en esa ocasión.

Y cuánta razón tenía nuestro poeta, él era el águila de sus versos, el ave fiera que con sus garras busca conquistar el porvenir y cae derrotada ante el infortunio.

Al terminar la recepción, acompañé a Juan Ramón y su esposa Dolores camino a casa.

—Esa melodía de Schumann me recuerda la canción de Heine —dijo Juan Ramón, tomado del brazo de Dolores y con la atención puesta en las tímidas luces que alumbraban la plaza de armas—. Tan triste, como la Selva Negra, tan implacable como las pálidas nieblas de otoño.

—¿Cuál canción? —pregunté.

—La canción de *Loreley,* aquella que dice: «No sé lo que por mí pasa, que tal tristeza me da: un cuento de edad remota clavado en mi mente está».

El cielo era claro, las primeras lluvias del invierno habían dejado el frescor limpio de la silenciosa noche. Las casas cerradas, invadidas por supersticiosos temores de habitantes que podían contar con mil años de existencia. Dolores, del brazo de Juan Ramón, guardaba silencio, quizá buscando sopesar las palabras de su esposo.

—¿No te pasa —me preguntó Juan Ramón— que a veces quisieras creer?

—¿Creer en qué?

—En algo, cualquier cosa. ¡En la Siguanaba! Cuando yo era niño, había una anciana amiga de mis padres que siempre nos contaba historias fantásticas. Ella decía que había visto a la Siguanaba. «A veces se aparece bajo la forma de una vieja cubierta de ropa sucia, buscando algo entre la yerba de los campos; a veces en los ríos, con el aspecto de una hermosa joven que canta con voz dulce mientras golpea sus harapos contra las piedras del lavandero —decía la vieja—. Entonces es más peligrosa, porque llama a los hombres, y cuando éstos se acercan a ella, los arrastra al fondo de la poza, de donde jamás vuelven a salir...».

—Seguramente esos hombres cayeron del caballo borrachos y se ahogaron —dijo Dolores con burla.

Juan Ramón continuó con la narración de sus recuerdos infantiles sin reparar los comentarios mordaces de Lolita.

—Varias veces me escapé de casa a la media noche, para buscar a la Siguanaba en el río.

—¿En serio hiciste eso? —preguntó Dolores.

—Sí, lo hice. Quería encontrarla, ver cómo era. Me la imaginaba joven y bella, con un canto dulce, como vos, Lola. Casi llegué a amarla por el misterio que encerraba.

—Lo que vos no sabés, Juan Ramón, es que yo sí soy la Siguanaba y si no te portás bien te voy a arrastrar a la poza —dijo, estampando un beso en la mejilla del poeta.

—Vos me podés llevar donde querás —rio Juan Ramón—. Pero sí, muchas veces me imaginé que me saldría la otra Siguanaba de entre las piedras del río; que saltaría de las quebradas y vendría a mí desde los ceibos con su seno al aire: «tomá tu teta que soy tu nana», diría, y me llevaría con ella.

—Pues no sé si cambiaría el dolor que trae la consciencia, por esa felicidad infantil que tiene la ignorancia —dije, después de un rato.

—Yo sí la cambio —afirmó Juan Ramón—. Daría todo lo que he aprendido de los pedantes libros de retóricos griegos, de los poetas latinos, de los filósofos alemanes; todas las negaciones y afirmaciones de Heráclito y Demócrito; todas las odas de Horacio y de Virgilio; todas las dudas de Hegel y los sublimes pensamientos de Kant… por ver a la Siguanaba y tener un corazón puro, un alma sencilla y limpia y volver a sentir los temores que me hizo sentir en mi infancia; por tener fe en el Dios de mis abuelos, un Dios oculto entre gigantes nubes, brazos extendidos sobre el mundo terrestre, barba celestial caída sobre el pecho y ojos cargados de siglos…

No dije más. Al llegar a mi casa me despedí sin decir nada. Los pasos del poeta y su esposa se perdieron en la oscuridad de Tegucigalpa.

13

A la salida del cine Clamer me encontré con Arturo Oquelí. Era ya un hombre cercano a los cincuenta años, de andar despacio y pelo cano. Nada que ver con aquel niño mandadero de Molina. Al principio no pareció reconocerme, venía de ver *El hombre que sabía demasiado* y quizá cayó en él cierta desconfianza con los extranjeros. Afortunadamente para mí, después de un rato logró reconocerme.

Las farolas eléctricas del centro de Tegucigalpa alumbraban tímidas las piedras del adoquinado. En las cantinas del Barrio Abajo sonaban estridentes las rancheras de Lucha Reyes. Los feligreses salían de misa en la Iglesia de los Dolores.

En las gradas del templo había una mujer que, pidiendo un duro para la comida, exponía una pierna de exagerado tamaño, su mano extendida, su palma vacía de monedas y su rostro ausente. Las buenas señoras de Tegucigalpa entraban al templo cubriéndose la nariz para evitar el pestilente olor a carne podrida de la pordiosera, mientras hacían un círculo alrededor de la mujer.

El sacristán del templo salió y golpeó con un bastón la

pierna putrefacta de aquella infeliz, y ésta, cuya mente viajaba por quién sabe qué mundo, respondió con un grito de dolor que por unos segundos paralizó a los caballos y carretas que circulaban frente a la iglesia.

Con Oquelí entramos al bar Mi Casa de Juan Pino y nos sentamos en una esquina.

—¿Y ha encontrado lo que busca? —me preguntó Oquelí, luego de pedir dos tragos de aguardiente.

—Pues sí, siempre se encuentran cosas —le dije.

—¿Se acuerda del Chele Ramírez?, —pregunté a Oquelí, después de un rato.

—Cómo no recordarlo si casi me mata ese desgraciado —me dijo.

—¿Cómo se llamaba la mujer de Chele Ramírez?

—No recuerdo ya. Recuerdo que la trajo de Cedros, pero desde que llegó comenzaron las peleas. Una vez se lo llevaron a la cárcel porque quiso picarla con un chuchillo. La cosa es que un día, cuando ya había salido de prisión, se encontró a la negra conmigo.

—Eso recuerdo. ¿Y andaba usted con ella?

—¡Qué va a ser!, si solo estábamos conversando. Pero el orate ese me vio, sacó el puñal y comenzó a darme persecución por todo el centro.

—Así lo recuerdo. Adelante iba usted, pálido del susto, atrás el chele con el puñal en la mano gritando: «¡Parate que te voy a degollar, parate que te voy a degollar!» Lo que no sabía el Chele es que atrás venía la negra con una sartén en la mano, que cuando finalmente usted quedó encerrado allí por la cuesta de El Olvido, y el Chele le dio alcance...

—Y me dijo: «¡Hoy sí desgraciado, de esta no salís!».

—Casi lo pica, eh —comenté riendo a Oquelí.

—Casi. Por suerte la negra le pegó tremendo cachimbazo en la cabeza y el Chele cayó redondito al suelo. Yo para qué, salí corriendo. Luego supe que entre varios se llevaron a Ramírez para que su mujer le curara la herida.

—¿Y qué fue de ellos después? —pregunté.

—No sé. Después de eso se fueron a las bananeras y no volvieron. Dicen que él murió en la guerra del 24, pero no sé la verdad.

—Lolita también sufrió con Juan Ramón. —Comenté, ya entrado en tragos.

—Mucho —dijo Oquelí, viendo su vaso como trayendo las imágenes de aquellos años —. El guaro es maldito —dijo—. Un domingo por la mañana me dispuse a ir a la casa de Juan Ramón. Quería escuchar de su voz los últimos incidentes de las elecciones. Llegué a su casa y pregunté por él. Lolita me recibió preocupada.

—Hable usted con Juan Ramón —me suplicó con los ojos rojos de llanto—, no vino a dormir otra vez.

—¿No ha ido a trabajar entonces? —pregunté.

—No, si anda bebiendo desde hace una semana.

—¿Dónde cree usted que esté?

—Ha de andar en Comayagüela, allá por el barrio Concepción, donde me dicen que pasa. Él no entiende que ese guaro lo va a matar. Trato de hablarle, pero no cambia. Tal vez a usted lo escucha.

Salí entonces en busca del poeta, tenía una vaga idea de dónde podría estar y hacia allí me dirigí.

En esa época, Tegucigalpa y Comayagüela contaban con pocos puentes que las comunicara. Los pobladores enfrentaban serios inconvenientes para cruzar los ríos Grande, Chiquito y Guacerique; vadeaban en lugares poco profundos, llanos en tiempo de verano o saltaban sobre piedras que los vecinos colocaban en línea para facilitar el paso. Durante las lluvias se usaban *copantes*; tablones o grandes troncos de árboles que descansaban sobre soportes y cruzaban el río de extremo a extremo haciendo las veces de puente. Más de alguna vez vimos caer a grandes señores que se sumergían a oscuras en las aguas del río. El único puente que había a la altura de la calle real y el centro de Tegucigalpa era el puente Mallol, inaugurado el año de la muerte de Narcizo Mallol en 1821.

El doctor Policarpo Bonilla había construido un puente a la altura del río Guacerique, uniendo Comayagüela con el sector de producción agrícola y las granjas del otro lado del río. El general Manuel Bonilla había anunciado la construcción de un nuevo puente que serviría para salvar la hondonada que dejaba el paso del río Choluteca en su ruta hacia el sur del país a la altura de Germania. Más adelante se harían nuevos puentes que atravesarían el río; puentes de madera, techados, de hamaca, de piedra o hierro, siempre buscando unir las dos ciudades.

—En la décima calle de Comayagüela estaba El Mirador, un lupanar de madera llamado así por su vista al cerro Juana Lainez o por traducción del francés *voyeur* —dijo Oquelí—. Era frecuentado por ladronzuelos, estafadores, contrabandistas y demás calaña de la ciudad. Era también frecuentado por Juan Ramón. Cuando llegué al lupanar pregunté por él a una cipota de unos quince años, trigueña y sin dientes, que recibía a los clientes en la puerta.

—Anda con su corte —me dijo, señalando con los labios pintarrajeados a un punto que se perdía en el río—. ¿Cómo te llamás? —me preguntó. Arturo Oquelí —le dije—. ¿Y vos cómo te llamás?

—Carlota, así me puso el poeta. Dice que porque tengo culo de emperatriz —rió, dándose una palmada en su trasero.

Al llegar al río vi al poeta sentado en una piedra. Tenía la mirada fija en el cerro al otro lado del río. Había llovido recientemente y el lodo estaba fresco, mis pies se hundieron hasta los tobillos.

—Cuando era niño venía a nadar acá —me dijo, sin bajar la vista del cerro—. Había por allá un ceibón grande de donde yo saltaba —señaló—, y allá se formaban unos remolinos verdeoscuros que a mí me parecían trombas marinas. Todavía parecen, o a lo mejor son: trombas en un poderoso río… Una tarde del mes de noviembre, cuando el invierno tropical deja los campos verdes y carga las montañas con la vida que sueltan los arroyos, los ríos se bañan con la claridad del oro en el fondo trasparente del agua —en espera de la muerte que llega cada verano— y reducen sus fronteras a las erizadas lajas de luminosos ángulos.

Yo, frente a un musgo raquítico y miserable, sumergí mis pies y juicio entre los huecos de limo verde a la sombra de los árboles enlazados en una suave bóveda oscura, contemplando los insectos acuáticos que, con una infantil ortografía, dibujan líneas con sus débiles extremidades sobre la tibia superficie resplandeciente. En la orilla opuesta del río había una gigantesca roca acaso cortada a tajo por un cíclope milenario, y varios matorrales espinosos, ásperos y agresivo que parecían arbolitos con pelucas estrambóticas. El agua sisea los sonidos cercanos, ceñidos de un cinturón de espuma amarillenta y un gusano claro flotaba mecido por una fresca ráfaga de viento. «¿De qué modo está suspendido ese gusano?» Pensé, viendo la frágil condición del insecto descendiendo a merced del viento hasta un débil tallo, que hambriento empezó a roer, hinchando su pequeño cuerpo verdoso, sin fijarse en un latoso mosco que zumbaba cerca con ánimo de engullirlo y que cuando se enteró, fue para enfrentarlo en una lucha mortal, que yo imaginé águilas leonadas de garras férreas que combatía con una enorme serpiente amazónica. *A pesar de la heroica defensa que hizo el mísero, no pasó mucho tiempo sin que fuera presa del alado bandido, quien después de matarlo, comenzó a chupárselo lentamente, de igual modo que los pultos se chupan a los cangrejos en el tranquilo fondo de las vastas bóvedas marinas.* Sentí repugnancia por el terrible espectáculo, y su asco se transformó en rabia cuando vio que el sobreviviente arrastraba al muerto. «Hace befa de la suerte del infeliz —lamenté—, mancha con saña el triunfo que la vida le otorga, del mismo modo que Aquiles, después de vencer al valiente Héctor, lo ató por los tablones a su carro de guerra, arrastrándolo alrededor de los muros de la ciudad sitiada, sin que lo enternecieran los alaridos de las mujeres de Ilión…».

Sintí odio por aquel repugnante mosco, recordé mi promesa de no ser buitre de ningún Prometeo y pensé en aplastar con una palmada al mísero insecto. Pero me detuve en una reflexión: «¿Por qué le ha quitado la vida? ¿Qué ofensa le había hecho el gusano para que se vengara de una manera tan espantosa?» En ese preciso momento, un pájaro cayó como un relámpago sobre la mosca, que distraída en la burla que hacía del derrotado, vio el mundo por última vez entre el pico implacable del ave.

Un pájaro tornasol cae con la velocidad del relámpago sobre el moscardón, arrebatándolo del suelo y llevándolo prisionero en el pico, por donde antes, sin duda, había brotado un raudal de armonías... Mis ojos se humedecieron ante aquella escena. No sabía si de placer o de dolor. Y en un segundo averigüé el más terrible y sombrío misterio de la naturaleza: el misterio de la vida y de la muerte. *Aquel gusanillo devorando el tallo, aquel moscardón devorando al gusanillo y aquel pájaro devorando al moscardón, me revelaron el equilibrio de la vida, el equilibrio de la naturaleza, el portentoso equilibrio universal.* Pensé en la materia, sujeta a los vaivenes de la creación; en la suprema sabiduría que hace girar armoniosamente la vida en círculos eternos: «los seres se comen a los seres. De otro modo no se podría vivir, ni se podría morir».

—¿Dónde está tu corte? —pregunté a Juan Ramón, sacándolo de sus ensoñaciones, buscando a los borrachines que siempre le hacían compañía.

—No sé —dijo—, estaban aquí hace un rato.

—Lola está preocupada por vos —le comuniqué.

El poeta guardó silencio, vio nuevamente el cerro como

buscando un punto conocido.

—Quiero que acá se haga un puente que lleve mi nombre —dijo—: puente Juan Ramón Molina. Será un puente grande, fuerte y viril de donde podré escupir al río.

—Vamos a casa, Juan Ramón.

—Lola dice que, si no dejo de beber, cuando muera volverá para jalarme las patas. Le pido a Dios que me lleve a mí primero, así yo vendré y se las jalaré a ella —rio.

—Nadie le va a jalar las patas a nadie, Juan Ramón. Ahora vamos, te llevo a tu casa.

—Esta es mi casa, ¿no ves? Yo soy este río, míralo. En verano parece un anciano raquítico, apacible, pequeño, muerto, lleno de lagartijas y árboles secos. Pero en invierno las nubes lo llenan de mil manantiales y crece poderoso con la fuerza de los huracanes y se lleva todo a su paso: Tegucigalpa y sus emperifolladas señoras, Comayagüela y sus indios sucios; la casa de mis padres, las iglesias hipócritas, el caserón de míster Black, la cárcel, el puente Mallol, tu casa, mi casa; todo lo arrastra inmisericorde hasta el pacífico y solo nos deja este lodo rojo y hediondo.

—Vamos, Juan Ramón —ordené, extendiendo mi brazo hacia él.

Cuando finalmente logré convencerlo, salimos del río, los dos cubiertos de lodo. Pasamos frente al burdel, donde seguía la joven Carlota.

—¿Conociste ya a mi emperatriz? —preguntó el poeta—, Carlota Segunda, soberana de las putas.

—Váyase para su casa, poeta —dijo la joven—, que así

104

nadie lo soporta.

—Ya me voy, mi mujer me mandó a buscar. Decile a Ofelia que le mando un beso.

La joven encogió los hombros ignorándonos, luego se metió al tugurio, desapareciendo en la penumbra.

—¿Quién es Ofelia? —quise saber.

—No sé —respondió Oquelí—. El poeta dijo que su princesa.

14

Continúa conversación con Arturo Oquelí,
Bar Mi Casa de Juan Pino, Barrio Abajo, Tegucigalpa,
diciembre de 1934
11:14 p.m.

Hacía varias semanas que no tenía noticia de Juan Ramón y su esposa, cuando, comenzando la noche, alguien tocó a mi puerta. Era una niña morena, su pelo largo y despeinado caía sobre sus delgados hombros apenas cubiertos por un camisón derruido. Su rostro delgado y sus ojos oscuros y grandes, reflejaban la suave luz del candil en mi casa.

—¿Qué quieres? —le pregunté, pensando escuchar quizá alguna solicitud de dinero o comida, una situación muy frecuente entre los niños que la miseria arroja a la calle.

—Lolita se va′morir —dijo la niña.

Yo busqué entre las sombras que borraban las paredes de la ciudad, quizá esperando encontrar algún bromista oculto.

—¿Quién? —pregunté incrédulo.

—Lolita se va′morir —repitió.

—¿Por qué dices eso niña? —pregunté con algo de molestia.

La pequeña no respondió, se quedó viéndome con sus ojos oscuros. Un terror, que solo es posible describir desde las páginas oscuras de un cuento de Poe, se apoderó de mis entrañas, causándome un intenso dolor de estómago. Sin dudarlo busqué mi chaleco y mi sombrero para salir en dirección de la casa de Juan Ramón.

Cuál fue mi sorpresa cuando al volver a la puerta, la niña morena ya no estaba. La busqué entre las sombras de la noche virgen y no la vi. Por un momento pensé en regresar a mis estudios, creyendo quizás que nada de aquello era verdad. Pero aquel dolor de estómago me recordaba el terror que sentí ante la niña.

—Lolita se va′morir —dijo y me di prisa.

Cuando llegué a casa de Juan Ramón, el silencio era total. El poeta se encontraba sentado en un viejo sillón. Sus manos ocultaban su frente febril, repleta de pavorosos insomnios. La familia de Dolores entraba y salía de las sombras de la pequeña habitación de la pareja.

—¿Qué pasó? —pregunté.

—Tiene varios días de estar así, la tisis la está matando —dijo Juan Ramón, cuyo rostro demacrado reflejaba dolor, y cuyo aliento impregnaba los vapores del guaro.

—¿Por qué no me avisaste? —pregunté, quizá pensando que podría haber hecho algo para salvar aquella joven.

Juan Ramón no respondió, su mente estaba en la mujer que adoraba con locura, y *que en el abril más amable de su vida, tras un ardiente prólogo de amor, la muerte cruel parecía arrancar de la faz de la tierra.*

—¿Cómo supiste? —preguntó al rato Juan Ramón con su voz amarga.

—Pasaba por acá cuando me enteré —mentí. ¿Quién está con la niña? —pregunté.

—Están con la familia de Lolita.

Así transcurrió la noche, las hermanas y tías de Dolores entrando y saliendo de la habitación en una nube de silencio. La ciudad dormida, oculta tras una cortina oscura.

Por la madrugada, horas antes del alba, cuando los gallos se quitan la modorra para saludar con su diana los rayos del nuevo día, y las mujeres despiertan para preparar las tortillas que sus maridos han de llevar a la jornada, y los recién nacidos lloran pidiendo una nueva ración de alimento, la familia de dolores, esperando quizá un milagro, se levantó para medir la temperatura de la agonizante y Juan Ramón dio un brinco de su silla gritando con furia:

—¡No la dejen entrar!

Yo me desperté asustado, buscando entender los delirios del poeta.

—¿A quién? —pregunté.

—¡Viene para acá, no la escuchas! —dijo, trancando la puerta de la calle.

—¿Quién viene? —preguntó una de las hermanas.

—¡No la dejen entrar! —volvió a decir Juan Ramón, asomándose al umbral de la habitación donde estaba Dolores, como buscando una intrusa.

—No viene nadie, poeta, cálmese —le rogué inútilmente, pues el poeta no escuchaba sino al ser que en su delirio se acercaba.

—Qué haces aquí —dijo Juan Ramón, viendo al centro de la sala—. ¡Vete!, ¡nadie te ha llamado!

—¿Qué le pasa, poeta? Cálmese —dije.

—¡Vete!, ¡sal de mi casa!, ¡nadie te ha llamado! —insistió llorando, dando golpes al vacío.

De repente, un gran suspiro llenó el ambiente, un intenso olor a creosota cubrió la casa y un grito amargo provino de la habitación contigua, luego otro… y otro.

Juan Ramón detuvo su lucha contra las sombras y se acercó a la puerta. Allí contempló a las mujeres que lloraban sumergiendo su rostro en el cuerpo de Dolores. Despacio se acercó al lecho, su mano temblaba y su rostro arrojaba lágrimas inútiles. Pasó sus brazos tras la espalda de su amada y levantó el torso del cadáver tibio, estrujando los restos de su esposa y maldiciendo a la creación por llevársela de esa manera.

Yo, inútil en la escena, salí al patio a llorar a la muerta. Afuera el alba comenzaba a pintar de rojos la punta de los cerros, la luna seguía a un costado del oeste y en los montes, oculto tras algún arbusto, pude oír el violín monótono de un grillo.

La copa de mi vida,
donde escanciaba mieles,
llena está hasta los bordes
de ponzoñas hieles,
más álgidas que aquella
bebida armoniosa
que recoció tu lengua
en la cruz afrentosa.

—A una muerta
(Fragmento)

SEGUNDA PARTE

15

Entrevista con el doctor Marcos Carías Andino
Su casa de habitación en el Barrio Alemán
Tegucigalpa, 1924, poco antes de su muerte.
—Apuntes hechos años después.

Sí señor, el general Sierra era un hombre brillante, contrario a lo que todo mundo decía de él. Lo acusaban de bruto e ignaro, pero era un hombre más bien culto. Se graduó de ingeniero en Estados Unidos, poseía estudios militares en la academia alemana, era tipógrafo y viajero. Quizá en otro país hubiera sido un buen presidente, pero el tiempo de su administración se consumió combatiendo alzamientos reales y ficticios, y cuando llegó el momento de dejar un legado, lo hizo de la peor manera posible.

¿Quiere saber el origen de todo ese relajo?, la constitución de 1894. Nefasta carta magna si me preguntan a mí. Entre sus artículos indicaba que si durante las elecciones no había un ganador con la mayoría absoluta de los votos —la mitad más uno— correspondería al Congreso Nacional elegir al próximo presidente de la república. Puede imaginarse usted, ¡el Congreso Nacional!

Sierra, que conocía muy bien el voluble temperamento de los políticos hondureños, se encargó de maniobrar para que en las elecciones de 1902 hubiese tres candidatos a la presidencia, y para que ninguno de ellos consiguiera la mayoría de votos necesaria. Postuló a Juan Ángel Arias Boquín. Pobre muchacho ése, ¡tonto! Era hijo de Céleo Arias, a quien todos recordábamos con mucho cariño, y nieto del conocido y admirado morazanista Juan Ángel Arias. Venía de buena estirpe.

En ese tiempo Juan Ángel era ministro en el gobierno de Sierra y contaba con el respaldo del sector conservador del Partido Liberal. Pero Sierra, que nunca apostaba solo a un bando, hizo traer de París a don Marco Aurelio Soto. Si usted me pregunta, a ese señor, Soto, le han dado más méritos de los que merece. Hizo buenas cosas, sí, pero muchas terribles también.

Soto aseguraba ser el candidato oficial del general Sierra. Por otro lado, el verdadero contrincante, el general Manuel Bonilla, que agrupaba el sector más moderado del Partido Liberal; antiguos servidores de los generales Luis Bográn, Ponciano Leiva, del doctor Rosendo Agüero y del general Domingo Vázquez, sobrevivientes del «bando conservador».

La victoria en las elecciones de 1903, según el conteo del voto popular, le correspondió al general Manuel Bonilla. Pero Sierra se había empeñado en no hacer el cambio de poder, y como Bonilla no logró la mayoría necesaria, conformó un consejo de ministros para que diera inauguración a la siguiente asamblea legislativa, impidiendo el ingreso del bando bonillista, nombrando a Juan Ángel Arias —segundo en conteo de voto popular— como presidente de la república, y autonombró a sí mismo como comandante general, con la misión de dirigir el ejército en contra de las tropas de Manuel Bonilla, que se había lazado en armas en el puerto de Amapala.

Las intenciones del general Sierra eran evidentes, todos

lo habíamos visto. Él había armado al ejército durante su presidencia y estaba seguro que derrocaría fácilmente al ejército de Manuel Bonilla. Luego volvería a Tegucigalpa y derrocaría al propio Juan Ángel Arias, quien había sido electo ilegalmente por él. Así ofreció Sierra la enfermedad y la cura.

Pero la guerra de Sierra tuvo el desastre de la batalla de Teutoburgo. Perdió territorios y recursos más rápido de lo que tardó en juntarlos, y terminó —a diferencia del legendario Varo, que acabó con su vida antes que vivir con la derrota— por exiliarse.

El gobierno de Arias duró menos de dos meses. Él lo supo una mañana, a mediados de abril, cuando llegó a sus manos una carta remitida por el general Alvarado desde su campamento en Loarque, a pocas leguas de la plaza central de Tegucigalpa, explicándole que era inútil continuar la lucha y que el general Sierra se había internado en territorio salvadoreño.

«La guerra ha terminado, señor —decía la carta—, le ruego se rinda y entregue la plaza a los cónsules, que en bien del país han aceptado mediar, otorgándole a usted y su estado mayor, todas las garantías que su seguridad necesite, desde su casa de habitación camino al país que usted disponga».

Pero Arias, que no heredó la estirpe hidalga de sus ancestros, no hizo más que deambular de yerro en yerro, causándole gran daño al país. Al salir de la ciudad capital, esa madrugada de abril de 1903, contrario a las indicaciones expresas en el acta de rendimiento, Juan Ángel Arias marchó al exilio, en compañía de un batallón de infantería y un escuadrón de caballería. ¿Para qué pensaba usar un batallón y un escuadrón de caballería sino para continuar la guerra?

El gobierno de Bonilla tomó eso como prueba de que Arias pretendía continuar la guerra y ordenó su arresto. Fue enviado a la cárcel, de donde no salió sino hasta dos años después, cuando escapó junto a Policarpo Bonilla para liderar la guerra desde Nicaragua.

—Más le hubiera valido al canalla de Sierra irse por la puerta de enfrente —me dijo el poeta Molina años después, ya en El Salvador, cuando supo de la muerte repentina del general en el exilio.

Y tenía razón el poeta, la historia le tendría hoy a Sierra, al menos como un gobernante mediocre, pero no, él quería quedarse en el poder, anquilosando el desarrollo de este país que ya no aguanta más ineptos en la presidencia…

16

Continua entrevista con el doctor Marcos Carías Andino
Su casa de habitación en el Barrio Alemán
Tegucigalpa, 1924, poco antes de su muerte.
—Apuntes hechos años después.

—¡Encuentren algo, lo que sea! ¡No puedo dejarlo libre! —dijo el general Bonilla, luego de que Juan Ángel Arias fuera puesto bajo arresto tras su intento de fuga.

Bonilla sabía que no podía tener preso por mucho tiempo a Juan Ángel Arias. Era cierto que había asumido (brevemente) las funciones de presidente de la República, pero lo hizo por elección del Congreso Nacional, y aunque ese Congreso estaba ahora disuelto, no había «delito». Pero el general entendía que Arias concentraba un gran caudal político, heredado por su padre; y de su abuelo, también jefe de Estado y hombre de suma importancia para la federación centroamericana (amigo personal del general Francisco Morazán), ejecutado a traición por las tropas del general Carrera en 1842.

Aunque no podía apresar a Arias por mucho tiempo, Bonilla sabía que tampoco podía librarlo, pues ello provocaría una nueva organización de los liberales en su contra, ocasionándole —eventualmente— la derrota.

«Arias debe morir —decía el general en su despacho—. Idiota Alvarado que no lo ejecutó cuando pudo, debió haber entrado con las tropas hasta el centro de la ciudad y fusilar en el acto al usurpador. O Christmas, ese gringo imbécil que pudiendo fingir un enfrentamiento en Danlí, me hubiera traído su cuerpo atado a dos mulas, como hizo Augusto César con Marco Antonio... Debe morir, Arias debe morir...».

Aun así, el general no sabía cómo realizar su deseo. Lo primero que ordenó, tras su ingreso a Tegucigalpa, fue el levantamiento de un acta de inspección sobre la condición en que recibía el Palacio de Gobierno.

Esa tarde, mientras deambulaba en su despacho buscando una justificación para ejecutar al usurpador, llegó a él la noticia de un macabro hallazgo en las caballerizas del palacio.

—Tiene que verlo usted mismo, mi general —dijo el mayordomo.

Al abrir la puerta de la caballeriza, el olor putrefacto le golpeó de frente. El general, acostumbrado como estaba a los más desagradables paisajes del campo de batalla, sintió algo de vergüenza al cubrir con su mano su nariz.

—¿Y éste quién es? —preguntó, extrañado de que hasta ese momento nadie hubiera detectado aquel cadáver colgado de las vigas, a pocos metros del despacho de la presidencia.

—Dicen que es el español Nicolás Arnero, un comerciante de puros —respondió el cadete de la guardia de honor, responsable de haber dado con el cuerpo.

El general se acercó al cadáver, giró alrededor de él inspeccionando los detalles de la ropa a la altura de sus tobillos, la piel, el rostro grotesco, los ojos salidos y la lengua de fuera.

—Fue torturado —dijo el general.

—No lo creo, señor —respondió el cadete—. No se ven heridas en la piel ni moretes. Más parece un suicidio por... —dijo, señalando la ropa del muerto.

El general vio al cadete con curiosidad, buscando el origen de sus palabras inoportunas.

—¿Es usted forense, soldado? —preguntó.

—No, señor.

—Pues resérvese sus opiniones para aquello que conozca —dijo—. Llamen al juez, este hombre fue ejecutado salvajemente y estoy seguro de que el responsable fue Juan Ángel Arias.

El soldado no pareció comprender lo que el general le decía. Se quedó viendo el cuerpo del español colgado, como buscando las pruebas de tan despreciable asesinato. Estaba a punto de decir algo cuando la voz imperante del general lo sacó de sus meditaciones.

—¡Qué está esperando, soldado! —gritó—, ¡vaya y busque al juez!

—¡Sí, señor!

Esa tarde se le comunicó a Arias que se le acusaba por el asesinato agravado del comerciante español Nicolás Arnero, cargo que, de encontrársele culpable, lo hacía acreedor de la pena de muerte.

Cuando Arias supo del delito del que se le acusaba, no pudo más que sorprenderse.

—¿Arnero está muerto? —preguntó.

—Así es —dijo el abogado—. El forense dice que murió en la madrugada del jueves y a menos que usted compruebe que estaba en otro lugar…

Bonilla no quería tomar ningún riesgo. Él sabía que, en un estado de guerra, la gente muere. ¿Qué es la guerra al final, sino la monumental danza de la muerte? Y acusar a alguien de homicidio, cuando los cuerpos de los caídos de ambos bandos aún preservan en la mirada el rostro grabado del asesino, es tan absurdo como un carnicero horrorizado con la sangre del cerdo que destaza. Por eso, supervisó personalmente la construcción del caso contra Arias.

—Según el acta —leyó el abogado—, en la madrugada del jueves, varios testigos protegidos lo vieron a usted en las caballerizas de la presidencia, supervisando personalmente la tortura y posterior ejecución del ciudadano español.

—¡Pero eso es absurdo! —exclamó Arias, frustrado— ¡yo no estaba allí!

—¿Entonces dónde estaba usted? —preguntó el abogado.

17

Conversación con el licenciado Rafael Alvarado Manzano
(rector de la Universidad de Honduras)
Restaurante Duncan Maya, edificio Medina Planas
Tegucigalpa, enero de 1935

Arias era un hombre guapo y fino. Hijo de una respetada familia, culto, educado; todo lo contrario de los rudos coroneles de montaña que producía la sociedad hondureña, como el general Bonilla, quien apenas culminó sus estudios primarios en Juticalpa y tenía las manos ásperas de un carpintero.

Estaba casado con la bella Margarita Fiallos, a quien (quizá por la política) dejó en Santa Rosa de Copán a cargo de la farmacia y la hacienda familiar.

Se desempeñó como Ministro en varias administraciones y finalmente lanzó su candidatura a la presidencia en las elecciones de 1902, alentado por el general Sierra, quien supo reconocer los anhelos de grandeza del joven copaneco.

En Tegucigalpa todos le conocían y admiraban. Permanecía rodeado por un selecto grupo de hombres y mujeres que le adulaban, y circulaba entre los grupos políticos y culturales con holgada soltura. Así conoció a Eugenia.

Era ella realmente encantadora, con su rostro iluminado por la aurora de la juventud, fresco, rebosante de animación, sus dientes blancos como la espuma, sus ojos profundos con una sombra en las cuencas y sus cabellos rizos, que como ondas de caoba se escapaban en maravilloso desorden de entre los sombreros. Sencilla y elegante; así era Eugenia Bonilla.

Pertenecía a una conocida familia de la ciudad, hija de don Antonio Bonilla, un capitalino del mismo nombre que el general Manuel Bonilla, pero sin parentesco alguno. Se sabía que la familia de Eugenia, aristócrata de ascendencia española, veía con desprecio a don Manuel, mulato olanchano de origen rural.

Se conocieron poco antes de las elecciones en un recital de poesía organizado por don Rómulo Durón, en el que Juan Ramón —amigo íntimo de Eugenia— leyó su poema «El Águila». Desde ese momento la amistad entre Arias y Eugenia fue creciendo, tornándose íntima, en la medida que Juan Ángel avanzaba en su camino a la fugaz presidencia.

Durante las semanas de sitio en la capital, quizá por el estrés que la guerra produce en los hombres de poder, quizá por la soledad del poder mismo, era frecuente ver el caballo de Juan Ángel frente a la casa de Eugenia, a veces durante el día, y muy seguido, toda la noche.

Por eso, cuando el abogado preguntó a Arias —como en una novela de Arthur Conan Doyle—, amenazándolo con el paredón de fusilamiento si no confesaba, dónde había estado la noche del asesinato del español, inmediatamente el defenestrado presidente dijo, para salvar su vida y consciente de que un caballero no cuenta nunca de sus aventuras amorosas con una dama: con Eugenia Bonilla.

¿Sabe usted que defenestrado quiere decir arrojado por la ventana?

18

Continua entrevista con el doctor Marcos Carías Andino
Su casa de habitación en el Barrio Alemán
Tegucigalpa, 1924, poco antes de su muerte.
—Apuntes hechos años después.

El general Manuel Bonilla golpeó con los puños la superficie plana de su escritorio, enfurecido al darse cuenta del romance entre Eugenia y Juan Ángel Arias.

—¿Por qué nadie me dijo nada de eso cuando estaba armando el caso! —preguntó enfurecido.

—Pensamos que usted ya lo sabía, mi general —dijo nervioso el gringo Christmas—. Eso todo mundo lo sabe —agregó.

—¿Todo mundo? —preguntó colérico el general—. Yo no soy todo mundo. Yo estaba en el exilio armando un ejército para luchar contra el infeliz de Sierra y ése aspirante a dictador de Arias, cuando usted todavía jugaba a la policía de Sierra. No tengo tiempo para saber lo que "todo mundo sabe".

—El caso es que con esa coartada no podemos fusilar a Arias sin cometer nosotros un asesinato —dijo el abogado.

—¿Y cree usted que eso no lo sé, abogado? —preguntó el general, ordenando luego a sus consejeros que se retiraran.

Continúa conversación con Rafael Alvarado Manzano
(Rector de la Universidad de Honduras)
Restaurante Duncan Maya, edificio Medina Planas
Tegucigalpa, enero de 1935

Yo no se la verdad cómo todo terminó así. Pobre Eugenia.

La disputa entre los Bonilla (Manuel y Policarpo) fue creciendo, desde aquellos años cuando el primero fue vicepresidente del segundo, y aunque nadie supo decir por qué, si bien no podían ser más distinto el uno del otro, llegaron al punto de declararse una enemistad manifiesta. El viejo general, cual reflejo de su tocayo, Manuel Estrada Cabrera, era incapaz de olvidar el más mínimo desprecio, y extendió su odio hasta todo el clan de Bonilla en Tegucigalpa.

En una ocasión supe que don Manuel Bonilla pidió la mano de una de las cuñadas de Policarpo. No se sabe si éste fue el origen del distanciamiento o no: Manuel deseaba la mano de Raquel Gutiérrez, hermana menor de Emma, la esposa de Policarpo; hijas ambas Carlos Gutiérrez, el agente de Honduras que contrató el empréstito para el ferrocarril.

Cuando llegó Manuel a pedir la mano de la joven, éste esperaba el apoyo de Policarpo, después de todo habían compartido bando en los campos de batalla y era su segundo al mando en la presidencia. Pero Policarpo no lo ayudó, al contrario, lo desprestigió frente a la familia Gutiérrez. En realidad, la mano de Raquel le fue negada a Manuel porque provenía de orígenes humildes y en la política nacional pesa más la sangre que el talento.

Paradójicamente, una madrugada de finales de siglo, la bella Raquel se escapó de su casa, con un mago de circo que había llegado desde Guatemala, de quien se enamoró perdidamente y con quien se estableció en San Salvador. «Corrió con suerte», dicen algunos, especialmente cuando la comparan con la desgracia que le tocó sufrir a la pobre Eugenia Bonilla.

***

Por la mañana tocaron a la puerta de la casa de la familia de Eugenia. La sirvienta abrió pensando que era el cipote que le vendía flores, verduras y frutas frescas, pero se sorprendió al ver frente a la puerta al cura y a los gendarmes.

—Tenemos órdenes de llevar a doña Eugenia con nosotros —dijo el sargento.

Un instante después salió la madre y las hermanas, preocupadas. El hermano y el padre estaban exiliados. Eugenia fue arrestada y llevada al cuartel San Francisco, donde ya estaba decidido su castigo.

Cuando entró al cuartel, Eugenia fue notificada que su detención se debía a su *carnale copulan* con un hombre casado, siendo ésta una violación a los mandamientos sagrados. Por dicha razón se le impondría un castigo «ejemplar», para que su accionar no sirviese de inspiración a otras jóvenes de sociedad tegucigalpense.

No quedó claro quién dispuso el castigo: *exhibir a la amante del ex Presidente usurpador, como una ramera pública e irredenta prostituta*. Y así se hizo. Eugenia recorrió las calles de Tegucigalpa, en un trayecto que debió haber sido el más largo de su vida. Había sido golpeada en el cuartel, y ahora era humillada en sus propias calles. Un sargento la subió a empujones en un burro.

—Así no, tita —le dijo el gendarme—, viendo pa´trás, hacia la cola.

Los muslos de Eugenia sangraron al rosar con la áspera piel del animal. Su sexo, que no abriría más para nadie, se laceró. Su pelo enredado sobre su rostro era lo único que le daba algo de intimidad ante la multitud, y sus lágrimas se secaron quizá para siempre. Los vecinos de Tegucigalpa y Comayagüela se apilaban en todas partes para ver con sorpresa, un espectáculo que no ocurría desde Lady Godiva.

—Mírenla, así no se ve tan orgullosa —dijo una vieja vestida de negro, de rostro largo como de cuervo y ojos oscuros como sombras.

—Está bien que le pase a la muy ramera —dijo otra vieja, escupiendo al suelo y viendo con asco la desnudez de la joven.

«Qué deliciosa está Eugenita» —pensó un conocido abogado de la ciudad, con sus ojos lívidos, su boca llena de saliva y una —muy pequeña— erección en su pantalón de lino.

19

¿Eugenia? Sí, yo estaba allí. Todos estábamos allí. Yo sabía además que era muy amiga del poeta. Ella, sensible a las artes, se acercó a Molina para compartirle unos versos que había escrito y él, duro como era con la crítica, pero suave con aquellos que sentía indefensos, le orientó en las lecturas que debía buscar para mejorar la forma. Así se hicieron amigos.

Fui a la casa de Juan Ramón porque temía a su reacción ante la humillación de Eugenia. Toqué a su puerta, buscando detectar algún movimiento en su interior. Todo estaba cerrado. Le llamé otra vez voz alta, pensando quizá que dormía, pero tampoco respondió.

—Allí está —me dijo una vecina—, no ha salido en todo el día.

Volví a tocar, esta vez con más fuerza, hasta que finalmente abrió.

Estaba descalzo y sin camisa. Tenía el rostro demacrado y un libro entre las manos. Me dejó entrar sin decir una palabra. Por todos lados había hojas de papel. Levanté una, era un poema de Víctor Hugo. Me senté en una vieja silla de madera que tenía junto a la mesa. Tampoco dije nada. Lo vi caminar en círculos leyendo el libro, al que arrancaba las páginas conforme avanzaba en la lectura.

—¿Supiste lo de Eugenia? —pregunté, luego de un rato.

No respondió. Arrancó otra hoja de papel y la arrojó, soltándola de su mano.

—¿Qué vamos a hacer? —insistí.

—¿Vamos?, ¿hacer?, harás vos. Yo nada.

Otra hoja de papel cayó al suelo dando un giro en el aire, como un clavadista antes de zambullirse en las aguas.

—Pero Eugenia es tu amiga —le dije.

—Ahora ella entenderá que está sola, como todos lo estamos.

Pasé mi vista por los cadáveres blancos en el suelo. Una hoja más cayó mientras guardaba silencio. Parecía el reflejo de un campo de batalla. Molina luchaba con Víctor Hugo y dejaba sus versos tendidos boca arriba.

—Debemos hacer algo, no podemos permitir que esto le ocurra —dije, viendo el reguero de hojas sobre el suelo.

Juan Ramón levantó la mirada y pareció verme por primera vez. Sus ojos transparentes le desnudaban. Sufría.

—Ayer fui a ver al general Bonilla —me dijo con un tono pausado, cansado—. Le pedí que detuviera esta locura. Me aseguró que no podía hacer nada, que no está en sus manos. Me dijo que lo mejor era olvidarlo, porque la carretera del Sur aún no está concluida.

—¿Te amenazó? —pregunté sorprendido.

—Dijo que los poetas son malos albañiles y las piedras que puse hacen brincar los carros dañando las ruedas.

20

V olvió Giménez Gonzáles a mi hotel. Luego de decirme que el general Camilo Reina estaba interesado en mis entrevistas y que disfrutaría conversar conmigo en persona, procedió a contarme de Juan Ramón. Nuevamente se negó a que lo grabara, así que transcribo su conversación con mis palabras…

—Desde que murió Dolores, Juan Ramón no había dejado de beber —dijo Giménez—. Según él, Molina tenía miedo de quedarse solo. «Una vez lo acompañé hasta su casa. Quedate acá, me dijo».

—No poeta, cómo cree —reclamé.

—Quedate —ordenó—. Vos te acostás en la cama y yo me quedo en el suelo.

—*No´mbre*, poeta, no le puedo quitar la cama.

—Entonces quedate vos en el suelo y yo en la cama —insistió.

Según Giménez, era frecuente en Juan Ramón llevar a cualquier persona a dormir a la casa. Regularmente eran amigos, borrachines con los que andaba de pata, pero a veces eran desconocidos que aprovechaban su intoxicación para robarle las pocas cosas que aún conservaba.

—Pero el miedo de Juan Ramón no era únicamente

a la soledad. Desde que se casó, su esposa Dolores había intentado cualquier cosa para evitar que el poeta bebiera.

Quizás su dipsomanía y la pobreza que esta trae, tuvo su cuota de culpa en la temprana muerte de Lolita, reflexioné al escuchar el relato de Giménez. Quizás el destino quiso jugar con el alma atormentada de Juan Ramón, que en sus noches etílicas recordaba los ruegos de su esposa. «Pucha, Juan Ramón —decía la finada Dolores—, sino dejás de beber, cuando me muera voy a venir a jalarte las patas».

Según el espía de Camilo Reina, cuando Juan Ramón no encontraba compañía con quien compartir la velada, se quedaba a dormir en la calle.

—Muchas veces le vi en las bancas del parque, a la sombra de un gendarme, para evitar volver a casa —dice Giménez.

Un joven de apellido Lanza, tipógrafo de los talleres donde se imprimía el *Diario de Honduras*, del cual Juan Ramón había sido director, también contó que el poeta lo invitó a su casa. Lanza, veterano de varias guerras, nada fanfarrón y amigo leal: acompañó al poeta.

—Antes de acostarse se tomaron dos que tres tragos. Molina se acomodó en su lecho especial, rodeado de un largo biombo plegable por medio de bisagras, y Lanza ocupó una hamaca colgada en el mismo cuarto que el poeta disponía para sus invitados. «Mire compa», me dijo Lanza, «yo no creo en eso de los fantasmas, pero cuando nos dormimos, a eso de las tres de la madrugada, me desperté alarmado al oír voces del poeta pidiendo socorro. Inmediatamente, todo azorado, agucé el oído. Al tratar de incorporarme para prestar mi auxilio, sentí que dos manos heladas me impedían levantarme. Entonces yo también quise gritar y no pude. Un frío horroroso me estremeció y sentí un sudor copioso que me bañaba el cuerpo».

—¿Es cierto eso que dice? —pregunté a Giménez.

—Se lo juro por mi madrecita —me dijo el viejo, persignándose.

21

Continúa conversación con Arturo Oquelí,
Bar Mi Casa de Juan Pino, Barrio Abajo, Tegucigalpa,
diciembre de 1934, 1:18 am.

El general Bonilla le tenía un especial cariño al poeta. Lo ayudó a levantar *El Día* con fondos oficiales, y en más de una ocasión le prestó dinero para su sostén, puesto que Juan Ramón, por su alcoholismo, tenía serios problemas financieros. Quizá por ese interés honesto que le guardaba, o porque reconocía en él una pluma ágil, capaz de destrozar a cualquiera con la más fina ironía, que el poeta resultó electo, representando al departamento de Colón, como diputado al Congreso Nacional en 1904.

Poco importó al poeta haber sido electo para el Congreso, inmerso como estaba en sus lecturas, se olvidó de seguir los acontecimientos de la política nacional, pero salió por un tiempo de las garras del guaro.

Se indignó sí, cuando don Miguel Ángel Navarro, columnista en el *Diario de Honduras*, se refirió a los periodistas de *El Día* —donde publicaba Molina—, como «chiquilicuatros recolectores de noticias».

—¿Y ese mequetrefe qué se cree? —preguntó Juan Ramón, luego de leer la columna.

—A mi parecer no es contra ustedes que está en guerra —dije—, sino contra el general Bonilla. ¿Ha leído usted todo lo que ha estado escribiendo Navarro?

—No. No he tenido tiempo la verdad.

—Ha dicho de todo, desde acusar al general Bonilla de rodearse de elementos del cachurequismo, hasta de crear las condiciones para quedarse en el poder, como Manuel Estrada Cabrera en Guatemala o Santos Zelaya en Nicaragua.

—Pues a este país no le vendría mal un hombre de mano fuerte, que ponga fin a tanto desorden.

—Tenga cuidado con lo que pide, poeta —dije—, se le puede hacer realidad.

—Pues que siga así Navarro y se quedará sin diario.

Un par de meses después, las predicciones de Molina se cumplieron: el *Diario de Honduras* fue clausurado por el ejecutivo. El gringo Lee Christmas se encargó de cerrar la imprenta, en violación al compromiso que el general Bonilla había asumido al final de la guerra civil.

22

Un diálogo en la Plaza de Armas
entre el doctor Marco Carías Andino y el señor Motz
Antes de la guerra.

—No creo que el general llegue a ese extremo que usted supone —dijo el señor Motz.

Estábamos sentados en *La banca de los viejos* de la plaza de armas, donde regularmente se reunían intelectuales y políticos para conversar sobre los últimos acontecimientos nacionales e internacionales. El Señor Motz, siguiendo la costumbre, buscaba al doctor Policarpo Bonilla para analizar los últimos movimientos en la política del general Manuel Bonilla. Yo me quedé escuchando.

—Está el precedente de Sierra —afirmó Policarpo—, que dio un golpe mortal a la libertad de prensa al principio de su gobierno. Luego pudo gobernar tranquilamente durante tres años sin necesidad de violencia sistemática. Pero aquella era una situación diferente. Si el general Sierra hubiese tomado el poder en mi lugar, a raíz de una revolución, no habría podido hacer eso. Lo hizo después de mi administración, ya cuando, por una de esas aberraciones de los pueblos, Honduras estaba cansada de libertad.

—Cansada de usted, querrá decir —comentó el señor Motz, en tono de broma. Policarpo sonrío de manera forzada.

—¿Dice usted que el general Sierra solo pudo ser déspota

por voluntad democrática del pueblo? —Interrumpí oportunamente.

—Digo que hoy el general Bonilla ha llegado al poder en brazos de otra revolución ordenada y encabezada por él en nombre de la libertad y de las leyes pisoteadas.

—Pero... —interrumpió Motz—, ¿y si con ese despotismo que usted nombra, se logra la ansiada paz?

—Lo dudo mucho, mi estimado —siguió Policarpo—, para Bonilla caer como Sierra sería peor que perder la vida, y no le quedaría ni el recurso de morir con gloria. Bastará para que caiga, que cualquiera de los gobiernos vecinos esté descontento con él, abra sus fronteras y suministre elementos; y no me negará usted que sobrarían soldados para empuñar las armas. Usted mismo lo vio en El Aceituno, ¿verdad, doctor Motz?

El doctor Motz asintió con la cabeza.

—Y ¿Qué cree usted que debe hacer el general Bonilla?, —preguntó Motz.

—Ante todo, ratificar el propósito de respetar y cumplir la Constitución y todas las leyes. Hacer a un lado los dictados del amor propio y dejar que la prensa independiente y de oposición funcione dentro de la ley. Que él y sus ministros consejeros se armen de paciencia para soportar los ataques de la prensa, ¡son hombres públicos por amor de Dios! Debe hacer cumplir a su gabinete con el programa de gobierno, para demostrarle al pueblo, con su trabajo, no con las bayonetas, que los conservadores son buenos cumplidores de las leyes liberales.

—Pero es que a veces, doctor —dijo Motz—, esa prensa independiente que usted defiende, se pasa de abusiva.

—¿Y qué si se pasa?, ¿y qué si dice más de lo que debe? La prensa debe demostrar, con pruebas, lo que dice y el gobierno debe demostrar, con su trabajo, lo que hace. Tiene razón el pueblo de desconfiar del general Bonilla, ¡tiene razón de desconfiar de cualquiera de nosotros que se siente en esa silla! ¿Cuánto hemos hecho por este país, pero cuánto más aún hemos dejado de hacer por nuestras ambiciones?

—No sé si este pueblo sea capaz de vivir en un país así, como al que usted aspira doctor.

—¿Por qué no, señor Motz? ¿Acaso cree usted que los europeos son más civilizados que nosotros? Los Estados Unidos, no hace mucho se desangró en una terrible guerra civil, como no la hemos visto aún en nuestra tierra y pido a Dios nunca la veamos. Estoy seguro que este siglo que inicia traerá para el mundo las horribles noticias de las guerras europeas. La guerra es la naturaleza de los hombres, mi estimado señor Motz, pero somos los hombres de Estado quienes debemos dirigir a las sociedades.

—¿Supo del asesinato del diputado Trejo, doctor? —preguntó Motz.

—¿El doctor Trejo?, ¿muerto? —pregunté yo, sorprendido.

—Sí, señor, me enteré esta mañana. Lo mataron hace un par de noches.

—Algo supe yo también —dijo el doctor Bonilla, con un semblante sombrío—, parece que pasó en Santa Bárbara.

—¿Y eso cómo pasó? —quise saber.

—Según me dijeron, iba saliendo de las fiestas de la Virgen de la Concepción en compañía del coronel Ezequiel Romero, cuando se encontraron con el inspector Ángel Paz

Caballero. ¿Recuerda usted que Trejo era arista, verdad?

—Sí, señor, claro que lo recuerdo —dije, recordando sus acalorados discursos en favor de Juan Ángel Arias.

—Pues el coronel Romero era aún más arista que el mismo Arias —afirmó Motz.

—Y resulta que andaban un poco pasados de copas cuando se toparon con el inspector Paz Caballero. Se dijeron algunas cosas. Un par de vivas al Partido Liberal, libertad para Arias Boquín y algún muera el general Bonilla calentaron los ánimos y todo terminó en disparos y pues, nuestros soldados tienen la consigna de disparar primero y preguntar después.

—¡Qué terrible! —exclamé, honestamente conmovido.

Por el costado de la catedral un grupo de gendarmes avanzaba al mando del coronel Lee Christmas.

—Así es, terrible —dijo Policarpo, viendo el gringo al mando de su pelotón—. En cuanto se instale en sesiones en enero próximo, pienso pedir al Congreso Nacional que se den los honores respectivos a esos dos ciudadanos y se deduzca responsabilidad al asesino.

—Me parece una buena idea, doctor —exclamó Motz.

23

Desperté a la madrugada, escuchando los gritos en la calle.

—¡Está quemándose la Escuela de Artes! —decía la gente—: ¡Fuego!, ¡fuego!

Toques de campanas, disparos de alarma y carreras de curiosos acompañaban los gritos por Comayagüela y Tegucigalpa. Sin dudarlo me vestí y me presenté al lugar del siniestro. Tan pronto como llegué al lugar, pude ver a hombres y mujeres echando agua sobre las llamas. El doctor Bonilla y varios de sus empleados trabajaban arduamente intentando salvar el edificio. El incendio se había iniciado —aparentemente— en uno de los talleres. El director de la escuela, don Julio Villars, quiso cortar las alas del caserón para evitar que el incendio se propagara, pero el fuego, voraz como el dios Hefeso, consumió el armatoste en pocas horas, reduciendo la escuela a un montón de cenizas y palos chamuscados.

—¡Traiga un hacha! —gritó el doctor Bonilla al coronel Christmas, que contemplaba el incendio.

—No tenemos hacha —respondió el gringo, sin moverse de su puesto.

—¿Cómo que no tienen hachas? ¡Mande a pedir una!

—No sé a quién pedírsela a esta hora de la mañana.

—Que bárbaros, están dispuestos a dejar que el edificio se consuma —reprochó el doctor, dando la vuelta en dirección del fuego.

El coronel Christmas se quedó impasible contemplando el incendio. Cuando era evidente que nada se salvaría, aquellos que invertimos horas de trabajo intentando salvar algo del edificio, no pudimos más que contemplar cómo caía hecho cenizas. Largas columnas de humo se extendían hasta el cielo claro de aquel triste amanecer en Tegucigalpa.

Conmovido por el suceso, me acerqué al muro de piedra donde alguna vez vi al poeta en una sus *patas*. Reconocí la fogata que usaban los borrachines y los utensilios de cocina regados por todos lados. Al rato entré al edificio, moví las cenizas con el pie en una de las puertas, y entre varias herramientas chamuscadas encontré una botella de guaro aún a la mitad.

«Curioso» —pensé, pateando suavemente la botella.

Esa tarde salió la nota en el periódico contando el incidente. En ella se resaltaron las cuantiosas pérdidas que provocó el siniestro y se agradeció a la providencia que no hubo pérdidas humanas. «En aquel campo de ruinas no hubo una sola víctima que lamentar», decía el diario.

Al día siguiente volví al lugar del incendio, buscando a los amigos del poeta, curioso por saber por qué la botella de guaro estaba adentro del edificio. Pero cuando llegué al lugar donde regularmente se reunían, éste estaba vacío. Los busqué por los alrededores, pero me fue imposible dar con ellos.

—Tendrás que buscarlos por Cipile —me dijo Juan Ramón.

—Acompáñeme usted, poeta —le rogué.

—Está bien, pero si se enoja Lolita te las arreglas vos con ella —me advirtió.

Yo fingí no darme cuenta de su desvarío al hablar sobre su esposa muerta como si aún viviera.

Logramos dar con la corte de borrachos a la altura del cementerio, cerca del lugar en donde años atrás Juan Ramón se enfrentó en duelo a su amigo Pinel. Parecía que había transcurrido un siglo desde entonces. Dimos con los borrachos. Esta vez el recibimiento fue sombrío, triste. Estaban sentados, sin hablar, a un extremo del muro del cementerio. Parecían confundidos, nerviosos. El poeta los saludó con la alegría que siempre les guardaba, pero no hubo respuesta.

—¿Y qué les pasa a ustedes ahora? —preguntó el poeta, haciendo un conteo rápido de su corte.

—¿Y dónde está el conde Próspero Bambita? —preguntó.

Los borrachos guardaron silencio.

—¿Qué pasó? —volvió a preguntar el poeta.

—Murió, poeta, se nos murió Bambita —respondió Managua.

—¿Cómo murió? —quise saber.

—Hacía frío —relató pelo´echampa—. Pensamos que podíamos entrar a la escuela para dormir en uno de los salones. Ya lo habíamos hecho antes y no hubo problema.

—¿La Escuela de Artes?

Uno de los borrachines comenzó a llorar.

—Sí —respondió—. Estábamos durmiendo en uno de los salones cuando escuchamos que alguien rompía algo en uno de los talleres. Bambita se levantó para ir a ver qué pasaba, nosotros le dijimos que no fuera, poeta, le dijimos: «vámonos de aquí Bambita, vámonos de aquí». Pero él no nos hacía caso, nunca nos hacía caso, y cuando nos dimos cuenta todo estaba en llamas. Le gritamos, lo llamamos, pero nunca contestó.

—¿Había alguien más allí? —pregunté.

Los hombres se miraron entre sí como para darse fuerza.

—No sabemos. Creemos que sí, pero nunca vimos a nadie, él único que podría saberlo era Bambita que fue a los talleres, pero él ya no puede contarnos.

Al día siguiente apareció un artículo en el diario que acusaba al doctor Policarpo Bonilla de haber tramado el incendio. «El doctor Policarpo Bonilla —decía el artículo—, a todas luces enemigo de la democracia hondureña, ordenó el incendio con el objetivo de atraer hacia él, al presidente y darle muerte…».

—Peligroso —comenté en voz alta después de leer el artículo—, demasiado peligroso.

24

La reacción que causó aquella acusación en el periódico fue terrible. Iban y venían los comunicados exigiendo el más alto castigo contra el pirómano que, atentando contra el derecho de los más pobres a educarse, había causado un grave daño a la nación incendiando la Escuela de Artes y Oficios.

En lo personal estoy convencido que el doctor Bonilla era incapaz de causar tal incendio, lo vi correr esa madrugada, jalando baldes de agua desde el río, sudando desesperado ante las llamas, con el fin de extinguir el siniestro. Pero la duda estaba ya plantada y el artículo de *El Día*, acrecentó las sospechas.

Donde más se sentían las fricciones era en el Congreso Nacional. Allí, el mismo doctor Bonilla había pedido explicaciones al ejecutivo por la renuncia irrevocable de varios ministros, por el asesinato sin investigar del diputado Trejo y el coronel Ramírez, y por el cierre de *El Diario de Honduras*, el periódico de la oposición.

La noche después del incendio, aún conmovidos por la tragedia y en medio de incontables rumores que recorrían de punta a punta la pequeña ciudad de Tegucigalpa, el Congreso Nacional —que funcionaba en el mismo edificio que el ejecutivo, separados únicamente por una pared de madera carcomida— entró a discutir el dictamen de una propuesta de ley que solicitaba la organización de un cuerpo de policía montada para los departamentos de Comayagua, La Paz, Intibucá, Gracias y Copán.

Aquel día, sábado 6 de febrero, mientras el Congreso discutía el dictamen presentado por los diputados Samuel Gómez y Antonio Madrid, el general Bonilla recibió en su despacho al mercenario Lee Christmas, comandante de la Policía de Tegucigalpa.

—A dos kilómetros de este Palacio —decía el diputado Navarro en el salón de sesiones—, se ha cometido, hace poco, un asesinato, y el asesino se pasea libremente por las calles de esta capital. Si el Poder Ejecutivo, el ministro de Gobernación o el director de Policía quisieran cumplir con su deber, tendrían bastante con la policía actual. ¡Qué no haya más aumento de la fuerza armada!, le tengo horror…

***

—¿Hasta cuándo piensa soportar a esta gente, general? —preguntó el coronel Christmas, sentado en el sillón de cuero frente al buró del mandatario.

—Hasta que hagan algo estúpido y me den la excusa para meterlos en la cárcel —dijo el presidente Manuel Bonilla.

—¿Y el incendio no es suficiente excusa?

—Tonterías, no tenemos pruebas para encarcelarlos por un delito que no han cometido. Necesito algo más contundente.

—En su poder están las pruebas de la conspiración que ejecutan el doctor Bonilla y el diputado Navarro, junto con otros diputados, para desestabilizar su gobierno.

—¿Sí?, ¿y quién me dio esas pruebas, vos?

—Es mi deber como comandante de la policía, presidente, recopilar información de inteligencia.

—Pues tu información de inteligencia no ha sido muy inteligente. Conversaciones de borrachos es lo que tengo en esos informes.

***

—Ese coronel norteamericano —decía Navarro al otro lado de la pared... Christmas guardó silencio en cuanto oyó nombrar a su persona—, hijo del filibustero Walker, no hace sino repetir la afrenta que aún calienta el corazón de los buenos latinoamericanos. Cada vez que un policía, bajo su mando, arresta un pobre hombre de este país, más aún cuando le ejecutan cual perro callejero, como fue el caso de los finados Trejo y Ramírez en Santa Bárbara, no hace sino pisar el rostro de la América indiana. Pobre de nuestras naciones, que necesitan de la bota del yanki para controlar sus instintos. Ese señor, ese mercenario bananero, ese sicarium, ese Barrabás de los pantanos de Lousiana, es la continuación del proyecto imperial que comenzó en México, continuó en Cuba y pretende seguir ahora con este caótico istmo. ¿A ese señor le vamos a dar más hombres, para que ensanche aún más su poder y nos apuñale al menor descuido?

El barullo del salón se hizo insostenible. Todos los diputados parecían gritar al mismo tiempo. El presidente del Congreso, Fausto Dávila, decidió suspender la sesión hasta el próximo lunes 8 de febrero, invitando a los señores congresistas a reconsiderar su posición.

***

—¿Permiso para retirarme, señor? —dijo el coronel

Christmas. Su cuerpo estaba rígido, sus manos firmes junto a sus piernas.

El general no respondió. Con la mano hizo un además indicándole al norteamericano que la puerta estaba abierta y se quedó en silencio, escuchando cómo, poco a poco, las voces del salón de sesiones desaparecían.

Era ya entrada la noche cuando los congresistas comenzaron a salir del salón de sesiones. El diputado Navarro cerró su chaleco, izó la solapa y contempló la inmensidad de la luna. Hacía frío, el satélite menguante dibujaba un plato cóncavo en el cielo. Bajó la avenida silenciosa sobre el puente Mallol. Un par de tristes faroles de gas iluminaban pobremente el camino. Al llegar sobre el extremo de Comayagüela, sintió que alguien le seguía.

—Repetí lo que dijiste de mí —escuchó en el inconfundible acento gringo.

Era Christmas, que desde las sombras le confrontaba.

—¿Coronel? —dijo Navarro, nervioso—. Su corazón saltaba, casi podía escucharse por sobre la calle real.

—Repetí lo que dijiste, a ver si sos tan hombre ahora.

—Yo… yo… —titubeó el congresista. Su papada temblaba de miedo, su garganta seca y sus ojos pelados veían cómo la luna reflejaba su luz en la hoja del puñal que el gringo había sacado de su cinto.

—¿Va a usted a matarme? —preguntó, casi rogando.

Hay momentos en la vida de un hombre, normalmente uno solo, cuando la muerte lo toma por sorpresa. Pero hay momentos, estos más comunes, cuando lo que nos toma por sorpresa es la ausencia de ésta. Ese fue el caso del diputado

Navarro, quien, imaginándose ya con el puñal del gringo en sus entrañas, escuchó el grito oportuno de dos hombres, también diputados que bajaban sobre el puente Mallol.

—¿Qué pasa allí? —preguntó uno.

El gringo, sorprendido *in fraganti,* guardó con suma agilidad el puñal y se separó del diputado Navarro, quien aún lo veía con los ojos pelados.

—Nada —dijo el gringo—, aquí no pasa nada.

El gringo se retiró, volviendo sobre el puente hacia su residencia en las inmediaciones de la iglesia El Calvario.

—¿Está bien, doctor? —preguntó uno de los diputados.

—Ese hombre iba a matarme —dijo Navarro, que hasta ese momento sintió cómo le temblaban las piernas.

25

El domingo transcurrió en silencio. El ambiente era tenso y los claros de las ventanas se llenaron de ojos con miedo. Los negocios no abrieron, nadie circulaba por la ciudad y no había un policía en las calles.

El lunes temprano salí de mi casa en busca de Juan Ramón. Tenía la impresión de que ese día sería importante y quería entrar al Congreso Nacional, que había cerrado sus puertas dejando ingresar únicamente a los diputados. Cuando llegué, Juan Ramón estaba dormido. Me abrió la puerta uno de los borrachos que, sin preguntar el propósito de mi visita, me dejó pasar y se acostó nuevamente en una esquina de la sala.

Yo fui directo al cuarto del poeta. Allí estaba, vestido aún, con la ropa mugrosa.

Luego de mucho esfuerzo logré despertarle, le ayudé a limpiarse y vestirse, contándole los últimos acontecimientos en la ciudad y explicándole por qué era importante que estuviera ese día en la sesión del Congreso.

—Ese Navarro es un imbécil —afirmó—, pero más imbécil es Christmas que se rajó y no mató al mal parido.

Antes de salir de la casa, estando aún borracho, Juan Ramón me pidió que le ayudara a sacar al otro dipsómano que me había abierto la puerta.

—¿Y este quién es? —le pregunté.

—No me acuerdo —dijo Juan Ramón, pero si lo dejo acá, cuando vuelva no tendré ni muebles.

Con mucho esfuerzo sacamos al bolo, que de lo más tranquilo se acostó en la acera y siguió durmiendo.

Cuando íbamos cerca de la plaza de armas, vimos al coronel Christmas marchar con un pelotón de soldados armados que se dirigían al Congreso Nacional.

—Allí va nuestra democracia —afirmó Juan Ramón.

Al entrar al salón de sesiones el caos era total; gritos e insultos corrían para uno y otro lado del salón. El Congreso se había declarado en sesión permanente hasta que se destituyera de su cargo al coronel Lee Christmas, que al amparo de la noche había intentado dar muerte al diputado Navarro, según constaba en el testimonio del ofendido y dos congresistas más, testigos del incidente. Los diputados afines al gobierno del general Bonilla procedían a retirarse del salón para informar al ejecutivo de la disposición del parlamento. El presidente del Congreso, Fausto Dávila, que en ese momento salía, se sorprendió al ver que Juan Ramón entraba al salón, aunque apenas notó mi presencia. Iba a decir algo cuando sentí que, desde atrás, un tumulto de gente nos empujaba para entrar. Cuando caí en razón de lo que estaba ocurriendo, vi a los soldados, arma en mano, avanzar hasta el interior del salón, apuntando con los fusiles al grupo de diputados que se había puesto de pie al ver entrar al pelotón.

—¡Bonilla! —gritó el coronel Rivas, al mando de un grupo de soldados.

El doctor Policarpo Bonilla se levantó de su asiento.

—¿Qué quiere? —preguntó.

—¡Vengo a arrestarlo!

En ese momento varios soldados se acercaron a las butacas de los diputados y procedieron a detener, a punta de golpes y culatazos, a varios de ellos que, inútilmente intentaban defenderse. El doctor Bonilla sacó el revólver que cargaba consigo y amenazó con iniciar un enfrentamiento en el salón, cuando otro diputado le hizo bajar el arma, siendo Bonilla inmovilizado por varios elementos armados que lo arrojaron al suelo y procedieron a patearlo. Luego lo llevaron a rastras por los pasillos hasta presentarlo al coronel Christmas.

—¡Gringo maldito! —gritó el doctor Bonilla al ver a Christmas.

Intentó incorporarse para írsele encima, pero los soldados lo detuvieron y volvieron a golpearlo.

—Llévenselo —ordenó el gringo.

Los militares sacaron del Congreso Nacional a un grupo de ocho diputados, entre ellos a Bonilla y Navarro, bajo la acusación de conspirar para provocar un golpe de Estado contra del general Bonilla.

Los diputados que estaban adentro, horrorizados con lo que ocurría, fueron informados por el coronel Rivas que la sesión había concluido y que la patria no necesitaría más de sus servicios.

Considerando: que según las justificaciones que tiene el Poder Ejecutivo, se ha tratado de atentar contra la vida del presidente de la república y de alterar el orden público por los diputados Policarpo Bonilla, Marcos Carías, Miguerl A. Navarro, Miguel O. Bustillo, Jesús Alvarado, Salvador Zelaya, Manuel F. Barahona, Ricardo Pineda y Jacinto Rivas.

Considerando: que el incendio de la Escuela de Artes y Oficios de esta capital que tuvo lugar en la madrugada del seis del corriente mes, ha obedecido a una tentativa de asesinato contra el presidente de la república, según las comprobaciones que se han recogido, en la cual tuvieron participación las personas nominadas en el Considerando anterior.

Considerando: que es un deber del Poder Ejecutivo conservar la paz y la seguridad interior de la república de conformidad con el artículo 108, número 5 de la Constitución de la República.

Considerando: que habiéndose acordado por el Congreso estar en sesión permanente el día de hoy, se ha disuelto por sí mismo por no haber vuelto algunos señores diputados que salieron sin licencia del señor presidente del aquel Alto Cuerpo, cuya presencia era necesaria para el quórum de ley.

Por tanto: en observación del artículo 108, número 21, de la Constitución Política y en Consejo de Ministros,

DECRETA:

Artículo 1o. Se declara en estado de sitio el departamento de Tegucigalpa.

Artículo 2o. El presente decreto comenzará a regir desde esta fecha.

Dado en la ciudad de Tegucigalpa, a los ocho días del mes de febrero de mil novecientos cuatro.

TERCERA PARTE

—¿Tú crees en las sirenas, esas criaturas mitológicas? En griego significan cadenas, hijas del mar que hechizan a los marineros con su canto y hacen naufragar a los barcos. Ulises mismo tuvo que encadenarse al mástil para resistir al canto de las sirenas, y ordenó a su tripulación que pusieran cera en sus oídos mientras él se convertía en el único mortal que había oído y sobrevivido a su terrible canto... Pues Juan Ramón, igual que Ulises, también oyó cantar a las sirenas. Quizá por su bendito cerebro de poeta, las vio en el mar del Sur, en el mar del Norte, en la pacífica bahía de Fonseca, en el Caribe y en las costas de Francia y Nueva York; en el vasto, fosforescente, misterioso, único mar.

—Ningún mortal ha podido ver jamás las curvaturas de su cuerpo. Inmaculadas como la nieve, tienen un corazón frío como el fondo del mar.

—Molina conoció también a Tritón, el viejo Tritón de las historias griegas, que los argonautas encontraros en las costas de Libia y vio nacer a Venus de entre la cándida espuma.

—Tras la muerte de Júpiter. Tritón se atrevió a salvar las columnas de Hércules, por eso ahora vive a merced del océano.

—Pero sus favoritas eran las sirenas, las bellas y aleves sirenas, que contaban con la armonía del dorso de la mujer y la cola del pez, de escamas brillantes y fulgores extraños; las sirenas que cantan a la luz de la luna, bajo la tibia superficie del océano en calma, o en los escollos donde saben estrellarse las débiles o las enormes naves.

—La sirena amó a un náufrago de bozo de oro que encontró sobre la arena de una playa, muerto, y por más que lo besó, no pudo regresarlo a la vida —lamentó Dávila.

27

En 1906 tenía más de un año de trabajar en el consulado en la ciudad de Nueva York, cuando recibí el telegrama desde Honduras en el que me anunciaban el arribo de la delegación que representaría al país en la Tercera Conferencia Panamericana de Río de Janeiro, que se realizaría en julio de ese año. Fueron nombrados para la Conferencia, los escritores Juan Ramón Molina y Froylán Turcios, como secretarios; y los doctores Sotero Barahona y Fausto Dávila, como representantes.

Me causó gran alegría saber que pronto vería a Juan Ramón. Si bien nos habíamos distanciado desde los incidentes que desembocaron en el golpe de Estado de 1904, nuestra amistad y cariño seguían firmes.

Inmediatamente comencé a hacer los preparativos para hospedarlos, e intenté reservarles un espacio en el próximo barco con destino a Europa. En esa época aún no había líneas directas entre Estados Unidos y Brasil, y por más que busqué, me fue imposible encontrar boleto en algún transatlántico. Era la temporada alta y desde el inicio de la primavera los pasajes estaban vendidos. Tuve que ubicarlos en un pequeño vapor de carga de 800 toneladas con bandera noruega llamado El Günther.

«No les va a gustar el viaje», pensé, viendo aquel navío en el muelle, que en comparación con un transatlántico parecía diminuto, casi un juguete ridículo. Pero estaba consciente de que no había otra opción, si querían llegar a Río antes de julio, debían tomar ese pequeño barco.

Mis amigos llegaron un medio día provenientes de Jamaica. Desde el muelle pude distinguir a Juan Ramón en la cubierta. Poco después desembarcaron. Luego de los saludos de rigor, entregué un telegrama que había arribado esa misma mañana procedente de Tegucigalpa al doctor Sotero Barahona. En él se le pedía el inmediato regreso a Honduras.

—Mal inicio de viaje —comentó espontáneamente Juan Ramón.

—Tres veces salió Alfonso Quijano a la aventura —dijo el doctor Barahona, tratando de mantener el humor.

A mí me sorprendió mucho ver lo deteriorado que estaba Juan Ramón. Era el mismo impertinente y atrevido, pero habían caído sobre él varias décadas de mala vida. Parecía más viejo, casi un anciano. Su cabello triste era un nido amarillento, su piel reseca era un papiro arrugado. Estaba delgado hasta la lástima. Los cinturones debían darle varias vueltas al borde de los pantalones que parecían prestados. Sus dientes estaban grises y su sonrisa era impostada.

Aquella escala duró una semana; tiempo que aproveché para mostrar a mis amigos lo más grande de aquella ciudad de hierro: los cafés de Broadway, los bares del barrio chino, los almacenes y las mansiones resplandecientes de la quinta avenida. Todo allí era nuevo, y Juan Ramón absorbía las imágenes, como los duendes de los cuentos europeos que se alimentaban de los colores del arcoíris.

—Este es un país de gigantes —afirmó Molina, viendo los rascacielos que se levantaban en el corazón de Manhattan.

La noche antes de partir, el doctor Dávila me pidió hablar en privado.

—Es importante —me dijo—, tengo que comunicarle algo.

Salimos al balcón del hotel. Aún faltaban horas para que cayera el sol. En la acera del frente, el tráfico de los carruajes era intenso. Los transeúntes iban y venían vestidos de rígido negro. Un grupo de chicas llegó en un carromato mecánico descapotado. El motor del carro hacía el ruido de una hoya hirviendo, se detuvo a unos metros del hotel y las chicas comenzaron a bajarse del vehículo. Sus sombrillas y sombreros sobresalían como flores escandalosas y risueñas. Yo las vi saltar, caer sobre la acera como hojas de otoño con sus vestidos largos y pegados al cuerpo.

—Es una pena que se haya regresado el doctor Barahona —comentó el doctor Dávila con la mirada puesta en las jóvenes de la vereda.

—Así es. ¿Quién sabe por qué le pidieron que volviera?

—Parece ser que Arias y el doctor Bonilla han escapado de la cárcel y el presidente necesita que Barahona ponga sus oficios para evitar la guerra.

—¿Otra guerra? —pregunté asustado.

—Así es, señor, otra guerra. Esperemos que ésta tarde mucho en iniciar.

—Esperemos que no inicie —dije.

Hubo un momento de silencio. Ambos pusimos nuestra atención en las personas que caminaban en la acera, aunque quizá nuestra mente estaba en un lugar distinto. Al rato, el doctor Dávila continuó:

—He hablado con el presidente Bonilla y le he pedido que se sume usted a la misión a Río.

—¿Yo? —pregunté sorprendido.

—Claro, eso si usted acepta. El doctor Barahora iba a cumplir las funciones de secretario.

—¿Y Turcios y Molina?

—Ellos van, pero no como secretarios. La intención del general Bonilla es que se den un poco de aire de mundo, para salir de esa inmundicia de ciudad en que vivimos —dijo.

—Entonces sería un honor, doctor.

Al volver a la sala, encontramos a Juan Ramón y Froylán, de pie, al centro, viéndonos como quien espera un reporte valioso.

—¿Y? —preguntó Juan Ramón—. ¿Venís o no venís?

—Sí, señor —dije—, siempre he querido conocer Río de Janeiro.

Así fue como me sumé a la delegación nacional que partiría para Río.

28

En Nueva York, después de visitar el zoológico, museos y galerías, y de pasar por almacenes comprando ropa para el poeta —el doctor Dávila insistió en que no tenía la vestimenta apropiada para la conferencia, y Juan Ramón quería guardarla para lucirla en las calles de Tegucigalpa— entramos a un bar ubicado cerca del barrio chino. Al salir, varias horas después, el poeta se detuvo en un edificio oscuro con grandes barrotes en las ventanas y una luz rojiza que venía desde el segundo piso.

—¿Qué es aquí? —me preguntó, atraído por lo tétrico del lugar.

—No sé. Parece un lugar de brujería o algo así —dije, viendo el letrero que se leía en la ventana.

En el piso inferior del edificio funcionaba una lavandería repleta de gente, varios chinos entraban y salían gritando en su idioma, y el vapor de las máquinas llenaba la habitación. Juan Ramón y yo entramos al lugar, buscando el acceso al segundo piso. Él abrió una puerta al fondo, donde unas treinta mujeres bordaban, sentadas en filas, ropa de colores brillantes y decorados asiáticos. Con señas preguntamos cómo subir al segundo piso y un hombre pequeño y delgado nos indicó el camino.

Arriba había un pasillo estrecho y escandaloso. Las gradas subían varios pisos en forma de caracol. Juan Ramón se detuvo frente a una puerta azul y la abrió, desoyendo las razones que le di para no desperdiciar su dinero en aquella estafadora. Me pidió que entrara con él para hacer de traductor en la sesión.

Era un cuarto oscuro y sucio, impregnado por el olor a comida vieja y perfumes baratos. En la entrada había una pequeña alfombra que nos recibía y nos invitaba a quitarnos los zapatos, varias telas orientales consteladas de signos cabalísticos colgaban de las ventanas y paredes. En el techo había un círculo con el zodiaco chino, y a sus orillas, lo que identifiqué debió haber sido el decorado original del edificio: un patrón victoriano de uvas y hojas de parra sobre yeso. En uno de los biombos que daban cierta intimidad a la sala, había un pez con una mitra, y en otro un escorpión con una aureola. No pude ver el tercer biombo porque estaba cubierto con una tela rojiza. A los costados de la habitación, varias repisas repletas de miniaturas, esferas azules, compases áureos y libros esotéricos de las más variadas y eclécticas procedencias; candelabros encendidos y muebles que parecían robados de un coro gótico. En el centro del salón vi una mesa redonda cubierta con un mantel negro de terciopelo, viejo y desgastado, con dos sillas de madera. En el centro de la mesa, una pequeña veladora roja.

—*Come in* —dijo una mujer gorda de apariencia vulgar y fea que salía de las sombras. Vestía un traje barato de tela rústica color azul con patrones afganos, y tenía el pelo desmarañado. Sus dientes y uñas estaban amarillas, como de fumador de opio. Podía ser una campesina albanesa del medioevo o una traficante uruguaya contemporánea.

—Se parece a la sucia —bromeó Juan Ramón, al tiempo que se sentaba en el lugar que la mujer le indicaba. Yo me quedé de pie a unos pasos de él.

—Decile que quiero saber mi futuro —me pidió el poeta.

—El futuro es algo que solo Dios conoce —traduje de las

palabras de la mujer, mientras ella tomaba las manos de Juan Ramón y continuó—. El límite entre el cielo y la tierra es diminuto en tu horizonte y no existe cuando cae el sol. Estás en el aire y has vivido así. Para despertar de tu sueño, debes descubrir que tus pilares son vestigios; antes morirás para renacer grande. Cuando caes sientes dolor, porque el dolor es lo que necesitas…

Yo trababa de sonreír, pero era en vano. Comprendí que la primera impresión que me causó la sibila había cambiado, vi sus manos pálidas destacándose sobre el terciopelo negro de la mesa y me parecieron bellas; su frente amplia, serena, me hizo pensar en un alma sin más pasión que el estudio. En sus dos grandes ojos ojerosos, que al principio distinguí demacrados, ahora parecía arder una pequeña llama de sabiduría… sentí miedo de ella.

Avanzamos en silencio un largo rato camino al hotel. Juan Ramón estaba sumido en las palabras de la adivina y yo temía interrumpir sus reflexiones, pensando quizá que, como poeta, él había podido escuchar las palabras que no dijo la sibila.

—¿Sabés que existe la suelalogía? —preguntó Juan Ramón.

—No, ¿qué es eso? —quise saber.

—La suela muy usada denota un temperamento linfático y soñador; los tacones muy gastados denotan un temperamento sanguíneo, activo y desconfiado; la suela gastada por el medio es signo de bilis, de mal carácter, de egoísmo; la suela gastada en la punta es señal de desequilibrio nervioso y de inocencia de alma; la suela gastada por uno de los lados indica cautela, ambición, sibaritismo, sensualismo.

—Y aquellos zapatos que no están gastados por un lado

más que por el otro, sino por todas partes, ¿qué denotan? —quise saber, honestamente interesado.

—Pobreza —replicó Juan Ramón.

29

De haber sabido que el viaje en *El Günther* sería tan difícil, quizá hubiese hecho un mayor esfuerzo por conseguir otra embarcación. Todos estábamos seguros de que aquel cascarón se hundiría a menos de cuatro días de zarpar. Tan brusco era el mar, tan frágil se sentía la nave. Por las noches llovía a torrentes y los relámpagos se sucedían con rapidez fantástica, iluminando las tinieblas. Las olas golpeaban con la fuerza de un gigante, haciendo crujir la embarcación, que se ladeaba como si fuera a volcarse en un abismo submarino, arrojándonos por el camarote como cualquier objeto inútil. Durante el día, en los momentos de calma, contemplábamos resignados las nubes oscuras que presagiaba más tormentas y tormentos.

—A veces tengo la impresión de que, al contrario de avanzar, retrocedemos —comentó Juan Ramón por la mañana, luego de una noche de vigilia.

—Supongo que uno se acostumbra también a esto —afirmé, intentando encender un cigarrillo.

—Hay una mujer en el barco —me informó el poeta. Tenía en sus palabras algo de misterio que me erizó la piel.

Yo la busqué con la vista por la cubierta, pensando quizá que se refería a ese lugar, en ese momento.

—La vi anoche —continuó.

—Pensé que era de mala suerte llevar mujeres en los barcos de carga —comenté en broma.

—Sólo si el barco está lleno de idiotas —afirmó Juan Ramón—. ¿Sabías que la pirata más grande de la historia fue una mujer? Se llamaba Hsi Kai, y llegó a controlar más de mil barcos en la costa de China. Para combatirla se unieron tres países: China, Inglaterra y Portugal, y aun así no pudieron derrotarla.

El viaje duró cinco semanas. Intercalábamos los días de calma, cuando mirábamos a los delfines saltar entre las olas, y las noches violentas, cuando el mar nos sacudía con la furia de los dioses. Los últimos días de la travesía dejamos de asistir al comedor. Los platos y las viandas rodaban por el piso y el ruido de la cristalería era constante música en nuestros oídos. Para comer, nos servían en cajas de cartón y bebíamos en botellas: carnes, legumbres y frutas se descomponían rápidamente por el intenso calor.

—¡Vamos a morir todos de escorbuto! —se quejaba Turcios, revisando constantemente sus encías.

El doctor Dávila dejó de salir a la cubierta. Se pasó gran parte del trayecto encerrado en el camarote, pálido y demacrado por los constantes mareos.

Molina, buscando animar al doctor Dávila, le describía cómo el cuerpo de las personas que mueren en alta mar es arrojado a los océanos, donde se convierte en alimento de los peses y residencia de los caracoles.

—Imagínese el honor —le decía— horrendo y monstruoso, un cuerpo flotando como un pelele sobre el iracundo oleaje, siendo comido por los tiburones.

—Sus palabras no me ayudan poeta, mejor déjeme solo —respondía Dávila.

Era quizá el mucepo, que cada día lo invadía más y más,

o a lo mejor esa búsqueda constante de imágenes que tenía Juan Ramón, pero con las semanas noté que prefería estar solo. Por las noches abandonaba el camarote y se paseaba por la cubierta, a veces volvía empapado por la tormenta y se acostaba en el suelo. Otras veces no volvía en toda la noche. Una vez le busqué por todo el barco y no pude dar con él. Pensé por un momento en dar la alarma, creyendo que quizá se había arrojado al mar. Cuando finalmente lo encontré y me atreví a preguntarle, él me dijo que salía para verse con la mujer que iba en el barco —que nadie más que él había visto.

—¿Y qué le dice? —pregunté, curioso.

—Me habla del mar.

Mar Caribe, 1906

Voy sobre el mar sobre el vasto hervor oceánico, sobre el piélago bravío, cantando por los poetas, desde el grave y trágico Esquino, hasta el ardiente y rebelde Byron.

Voy sobre él, de pie en la cubierta del buque de vapor, de esta gran máquina negra, aspirando con deleite la brisa salitrosa y siguiendo con la mirada melancólica el vuelo de las nubes errantes o el perpetuo desfile de las olas.

A lo lejos, medio oculta en la neblina de la tarde, mírase una costa interminable, árida, monótona. Es una costa baja sin vegetación, casi sin bahías; una costa que me hace pensar en las de los mares del norte, en los pedregosos arrecifes, en los peñascales marinos, en los escollos a flor de agua, erizados de ásperas puntas, de ángulos terribles, de vértices rudos, donde el mar se hace pedazos con una lámina de vidrio.

El cielo parece la paleta de un pintor. Todos los tintes están en él, desde el rojo subido, color de sangre, hasta el suave morado de las violetas campestres.

El azul, un azul profundo, domina en el fondo. Grandes celajes, como si fueran los jirones del opulento manto de púrpura de un rey, flotan al Sur; y al Occidente, sobre la infinita línea de lapislázuli del horizonte, se suspende un millar de nubes, semejando una maravillosa bandada de palomas que volaran hacia el sol, el cual se hunde, enrojecido, redondo, soberbio, lentamente, en las grandes olas palpitantes, coronadas de reflejos de plata.

Pienso en las sirenas, en los tritones, en las ondinas. Pienso en Poseidón, rey de las aguas salobres, y en Venus, maravilla de la belleza adorada de Plutón, inefable mujer nacida en las purísimas espumas.

Me parece escuchar la ronca voz de los caracoles, en el armonioso batir de los remos de las naves dóricas, el rumor de la brisa al hinchar las blancas velas latinas.

Siento la nostalgia de un mundo muerto, y, como el dulce Musset, creo que he nacido tarde, que esta época no es la mía, que son otros mis tiempos.

Porque yo, hijo enfermo de este siglo, producto de una civilización sin ideales, fruto de un árbol ya viejo, semibárbaro del Nuevo Mundo, debí haber venido en los albores de la humanidad, en la aurora del paganismo, en la riente mañana de la Tierra, cuando Jove era fuerte con *su haz de olímpicos rayos y Juno dejaba escapar de su seno divino una cascada de gotas de leche.*

Entonces, oh mar, oh sol, oh viento, habría cantado en el grandioso ritmo helénico, acompañándome de la lira de tres cuerdas de Orfeo, un himno religioso y sereno, que tal vez hubiera salido propicio a los amados dioses inmortales.

30

A rribamos a Pernambuco a la medianoche, después de casi una hora en los botes que se dirigen al puerto, donde la marejada nos echaba para atrás, elevándonos y hundiéndonos con furia, obligándonos a tomarnos con fuerza de las argollas a los costados de la nave, para evitar morir ahogados. Cuando desembarcamos pude sentir el suelo moverse bajo mis pies.

Aún enfermo por el viaje, el doctor Dávila se empeñó en ser nuestro guía en la ciudad. Avanzamos por la avenida buscando un hotel, hasta que finalmente dimos con un viejo edificio con un letrero de madera que el viento sacudía sobre un inmenso portón. Era el hotel *Europe*. A esa hora de la noche estaba ya cerrado. Golpeamos varias veces la puerta de madera. El sonido de los golpes rebotaba en la avenida vacía de calles empedradas. Finalmente, una corpulenta mujer nos abrió. ¡Qué inmenso placer comer y dormir en un hotel, después de tantos días de zarandeo!

A la mañana siguiente, mientras desayunábamos, Turcios me comentó que la noche anterior Molina había sido asaltado.

—¿Asaltado? —pregunté sorprendido—, ¡pero si venimos llegando!

—Ya ve usted —respondió el doctor Dávila con renovado apetito—, nuestro amigo tiene un talento especial para meterse en problemas.

Cuando pregunté a Juan Ramón, él no dudó en contarme los detalles del incidente.

—Ni siquiera era bonita la infeliz esa —dijo—, ¡si era más fea que el doctor Dávila!

Me contó que después de nuestro arribo, agobiado por no poder dormir, decidió salir a caminar y conocer un poco la ciudad. Sin saber cómo, siguiendo los callejones estrechos de la ciudad, terminó en un tugurio a la orilla del puerto, un lugar sucio y mal oliente, donde los marineros se infectan de sífilis y las mujeres escupen en la cara de los inoportunos.

Una prostituta, haciéndose entender con las señas universales del sexo por dinero, le invitó a asistir en una pequeña habitación con una cama asquerosa.

Juan Ramón pagó su servicio con los últimos 20 dólares que tenía, viendo las sombras deformes que esparcía el frágil candil. Despertó al día siguiente cubierto de vómito, sin un centavo en la bolsa.

—Lo que lamento es el anillo —dijo Juan Ramón, al punto de las lágrimas—, era de oro puro de Guayape y en él tenía grabado el nombre de Dolores.

—¿Y qué más le robó? —pregunté.

—Todo: fuerzas y objetos… y a Lolita —suspiró.

31

Llegamos a Río una tarde de julio, luego de seis semanas de travesía por el océano Atlántico. Frente a nosotros se abrió, como un haz de luz, el cielo azul que caía, limpio de nubes, sobre una bahía esmeralda y resplandeciente con playas blancas cual espejos nacarados. La forma soberbia del Pan de Azúcar se alzaba en la costa de aquella ciudad vibrante, de edificios de corredores arcados y balcones con puertas y ventanas adornadas con los pigmentos del arcoíris. Ni en las descripciones más fantásticas que Marco Polo hiciera al rey tártaro Kublai Kan, podría describirse aquella ciudad, sin violentar el maravilloso paisaje que nuestros ojos divisaban. Ahí estaba Río de Janeiro, gran capital del imperio liberada por el Rey Pedro IV de Portugal y I de Brasil, único Monarca de las Américas; ciudad centro de la compra y venta de esclavos, de los *nuevos negros* que al morir eran arrojados a la basura como se lanza el cadáver de un perro; hogar del gran carnaval pagano, inútilmente prohibido (por insalubre) a mediados del siglo XIX.

¡Cuántos lugares hermosos conocimos en Brasil!, ¡cuántas mujeres bellas!, ¡cuántos ilustres personajes!, ¡cuántos hombres, hoy inmortales, llenaron los salones con sus sabias conversaciones!, ¡cuánta pasión por las letras, la filosofía, la política y la cultura, cubrió por completo nuestras horas en la Conferencia de Río!

Una vez conocimos al general Rafael Uribe Uribe, aquel ilustre liberal de ideas progresistas, orador incomparable, que murió vilmente asesinado de un hachazo en la cabeza a la entrada del senado colombiano; que siempre me pareció

171

un hombre digno para personaje de la más bella novela. Estoy seguro, algún día alguien hará justicia a este gigante y lo inmortalizará, cual héroe que fue en 1899, durante la guerra de los mil días. Que peleó y perdió —porque perdió más guerras que ninguno en la historia de Colombia—, pero lo hizo siempre con el corazón en la mano, fiel a sus ideales, empeñado en humanizar la guerra y con la esperanza de un porvenir lleno del esplendor socialista para su pueblo.

Cuál fue mi impresión al ingresar una tarde al Hotel de los Extranjeros y ver a Molina conversando de la forma más amena, con el ilustre general Uribe. ¡Mi corazón daba un brinco de alegría!

Sabía de él y sus hazañas en la batalla de Bucaramanga —si bien no era momento para hacer mi crítica respecto a su estrategia—, de la batalla de Peralonso, la de Palonegro, su huida por el río Magdalena, ¡su cárcel en Cartagena de Indias! Y había leído una considerable cantidad de sus discursos y artículos publicados en su diario *El autonomista*. Conocía de su acercamiento con las ideas socialistas, su concepción del Estado, no como ejecutor de la violencia, sino como garante del progreso, de la guerra como un medio para lograr la libertad de los pueblos, no como un fin en sí misma. Y verle allí, ese día, fue como abrir las páginas de un libro cargado de historias fascinantes.

Emocionado me acerqué a la mesa que compartían el general y el poeta, esperando que uno de los dos me invitara a compartir con ellos. Así fue, inmediatamente Molina procedió a presentarnos de una manera informal:

—Él es Rafael —dijo, sin darle mayor protocolo.

Uribe estaba sentado en un cómodo sillón de cuero, sus

piernas abiertas cual patriarca y el sombrero en la mesa. Tenía en sus ojos profundos, cierta tensión que proyectaba llevando su mano a la cintura, como buscando su revólver, ausente en aquel hotel de Brasil. Era delgado y alto, con un rostro largo de pómulos resaltados (al igual que Juan Ramón) sobre un amplio bigote negro de puntas retorcidas. Su cabello pintaba pocas canas, peinado hacia atrás, con amplias entradas en la frente. Su nariz larga, como de ave tropical y sus orejas pequeñas. Hablaba con una voz fuerte, acostumbrado a dar órdenes a los hombres en el campo de batalla.

Era un hombre sin vicios, que disfrutaba de las buenas conversaciones. Estaba en conocer las impresiones que Molina tenía de la derrota de Justo Rufino Barrios en la batalla de Chalchuapa, en 1885. Pagaba las bebidas generosamente, intercalando sus propias impresiones de la doctrina liberal con las de Juan Ramón, que al final de la jornada se comportaba sin recato, tratándole sin el rigor que la etiqueta indica en tales ocasiones.

—Yo me hice liberal porque los conservadores son unos descarados —dijo Uribe, respondiendo a una pregunta de Molina—, pero no puedo estar de acuerdo con las dictaduras, ni siquiera con las de los liberales.

—En nuestras naciones —comentó Juan Ramón—, la democracia es un proyecto que solo se puede construir con la mano firme de un dictador. El caos natural de las repúblicas se contrapone con instituciones sólidas, de las cuales carecen nuestros países.

—Entonces el esfuerzo debe estar en formar esas instituciones, no en esperar a que un hombre supla lo que es responsabilidad de todos.

En un momento de la conversación, una mujer negra, anciana ya, se acercó a ofrecernos más bebida. Llevaba en las manos una bandeja con varios vasos limpios que procedió a reemplazar por los sucios; cuidaba siempre de no vernos a los ojos, como buscando no ser notada. El general Uribe solo pidió más agua, mientras que Juan Ramón llenó su vaso con licor.

Cuando la mujer se retiró, el general fijó su atención en ella.

—Esa mujer —nos dijo, viendo a la mujer que esperaba de pie al fondo del salón—, hace poco era esclava, sino ella, sus padres. Este bello hotel en donde estamos, era servido, hasta hace veinte años, por esclavos. Y la razón por la cual los esclavistas brasileños, como los norteamericanos, derogaron las leyes que permitían la esclavitud, no es porque de repente comprendieron que los humanos somos todos iguales ante Dios, es porque económicamente les resulta más fructífero. Es más barato pagarle a esa mujer para que nos sirva las bebidas, yéndose ella luego a su casa en las villas miserables de la periferia, que mantenerla como esclava: asegurarle casa, salud y alimento. Los hombres —siguió— respondemos a instintos bien básicos. Somos más liberales o conservadores según nos interese económicamente. Pero los ideales son de piedra, maniqueistas. Se es justo o no se es. Se es libre o no se es… Pero sigamos hablando de Barrios, mi buen amigo, ¿por qué cree usted que Barrios perdió tan fácilmente? ¡Hombre, su gran conquista se truncó en la primera trinchera que encontró en el camino!

—El error fue haber confiado en los salvadoreños —

comentó el poeta, pasando un trago más de licor por su garganta.

—¿Confiar en ellos? ¡Pero si iba a invadirles!

—Confiar que tendrían mala puntería. Vea, el general era de esos hombres hechos con molde antiguo. Él no solo comandaba sus tropas en la guerra, iba y peleabas sus batallas con ahínco. Cuando llegó a Chalhuapa, el 2 de abril de 1885, iba en su caballo al frente de sus hombres. Bonito detalle sí, como para un cuadro, quizá Napoleón Bonaparte hubiera hecho eso, pero las armas han cambiado mucho en estos cien años, y ahora cualquier idiota puede pegar un tiro a cien metros de distancia.

—«Soldados: estáis mal vestidos y mal alimentados. El gobierno os debe mucho. Grandes provincias y ciudades serán vuestras. Allí hallaréis gloria y riqueza...» —dijo Uribe, recordando un famoso discurso del *pequeño Cabo* Napoleón Bonaparte.

—¿O sea que lo que derrotó a Barrios fue la tecnología de las armas modernas? —continuó el general.

—El honor. El creer que las guerras se pelean con honor, como lo predicaron Morazán o Bolivar... o como...

—Como las peleo yo —interrumpió el general, adelantándose a Juan Ramón.

Esa noche, al intercambiar impresiones con Molina sobre su conversación con el general Uribe Uribe, me dijo que le parecía un buen hombre.

—No parece un militar —dijo, agregando que Uribe carecía de lo más elemental que debe tener un general: desconfianza.

—Este general confía en la gente —me dijo—, especialmente en los obreros. Un día de estos se va a llevar tremendo susto por eso...

Recordé las palabras de Juan Ramón ocho años después, cuando una mañana de octubre abrí el diario y supe del asesinato del general Rafael Uribe Uribe a mano de dos carpinteros, quienes le interceptaron frente al capitolio y, culpándolo por su miserable condición, le clavaron el hacha en el pómulo.

El general —contaba la nota de prensa—, fue luego trasladado por algunos amigos a su casa de habitación, donde agonizó toda la tarde, gritando entre vómitos y dando órdenes de batallas a su Estado mayor entre los desvaríos. Su mirada vaga, un tanto inmóvil, era como la de alguien que se encuentra en la oscuridad y busca una salida. Mientras tanto, afuera de su casa se agrupaba la gente, gritando vivas al general, cuyas palabras antes de morir fueron: «¡Lo último...!».

32

—Bien dije que no debíamos traerlo —refunfuñó el doctor Dávila al no encontrar a Juan Ramón—, pero usted insistió Turcios, usted dijo que podía controlarlo.

A esas alturas del viaje, era frecuente que el poeta desapareciera hasta por días completos. Cuando volvía estaba hediondo a alcohol. No disfrutaba de las interminables, estiradas y aburridas reuniones de las conferencias, y asistió a pocas cenas y recepciones organizadas para los delegados. Contrario a eso, amaba las barriadas, los tugurios y bares del muelle, donde parecía sentirse como en casa.

El doctor Dávila, molesto por las largas ausencias del Juan Ramón, no paraba de lanzar diatribas contra el poeta y nos ordenó ir a buscarlo sin contemplaciones. La delegación hondureña había sido invitada para una cena en la casa del conde de Prozor, y Dávila quería que Juan Ramón asistiera.

Hicimos presencia en varias estaciones policiales. En cada una hacíamos una descripción del poeta: nacionalidad, oficio, rasgos físicos… pero todo era inútil. Río de Janeiro era un laberinto de callejones impenetrables y nadie nunca había visto a alguien como Juan Ramón Molina por sus calles.

Por la tarde comenzó a caer una lluvia fina, monótona. La ciudad se cubrió con un manto transparente. Las calles empedradas formaron pequeños lagos entre los guijarros, que las damas saltaban armando círculos risueños con sus vestidos largos. Los señores blancos sacaron sus paraguas y los negros continuaban sus labores bajo la desesperante lluvia. Nosotros seguimos buscándole. Fuimos a los bares del muelle Valongo, a las playas de Ipanema y al antiguo acueducto del río Carioca; pero todo fue inútil, el poeta no aparecía.

Resignados con nuestro fracaso, decidimos tomar un tranvía y volver al hotel, donde seguramente nos esperaba el doctor Dávila, rojo de furia.

Cuál fue nuestra sorpresa cuando al llegar al hotel, en una pequeña plaza frente al edificio, vimos a Juan Ramón sentado en una banca, con la cabeza alzada al cielo, viendo quizá las nubes soltar las últimas gotas de lluvia.

Turcios y yo nos acercamos, con la intención de preguntarle dónde había estado. Le vimos empapado de pies a cabeza, con un rostro que parecía lanzar una suave luz bajo las gotas que caían.

—¿Dónde estuvo poeta? —le pregunté.

—¿Te has fijado —comentó sin bajar la vista—, que los arcos de las puertas son como ojos tristes?

—Esta lluvia me va a hacer daño —se quejó Turcios, temblando de frío—, es mejor que me ponga algo seco.

Seguidamente se fue al hotel a cambiarse de ropa y a contarle al doctor Dávila que Molina había aparecido.

—¿A dónde fue poeta? —volví a preguntar, sentándome junto a él.

—Una vez en Tegucigalpa —dijo—, me vi atrapado por unos fantasmas. Iba yo por la calle bajo una lluvia como esta, pensando… pensando en Dolores, cuando me encontré en medio de un grupo de hombres vestidos de traje negro, que cargaban al hombro un ataúd. No se cómo, pero me dejé llevar por aquella corriente oscura y avancé con ellos en silencio, sumido en mis pesares, como en una procesión de idiotas o sonámbulos, sin hablar, si voltear a vernos, sólo caminando bajo la persistente lluvia. A lo lejos repicaban tristes las campanas de iglesia, anunciando el adiós de algún desconocido. Cuando me di cuenta de lo que pasaba, estaba en el camposanto, viendo a los sepultureros sacar grandes paladas de esa espantosa tierra rojiza que tanto miedo me da. Lo bajaron con cuidado, vimos con ojos inmóviles cómo descendía el ataúd. Luego cubrieron el agujero con aquel barro pegajoso y todos se fueron. Yo me quedé allí, frente al sepulcro fresco.

La lluvia fue escampando aquella tarde en Río. Los negocios volvieron a la vida, las luces de las lámparas comenzaron a encenderse, proyectándose infinitas en las baldosas húmedas de la calle. Juan Ramón, aún sumido en sus reflexiones, siguió hablando:

—Aquí el cementerio es distinto, es una verdadera necrópolis, como el Valle de los Reyes en Egipto, pero lleno de esclavos. Afuera, varias mujeres negras venden flores y velas, otras te ofrecen la salvación para los difuntos en unos pequeños libros hechos a mano, te aseguran que con unas cuantas oraciones se abrirán las puertas del cielo para el más terrible pecador.

A nosotros llegó una niña vendiendo caramelos, su rostro moreno y su pelo desgreñado, hija quizá de algún marinero mal logrado en alta mar. Yo saqué unas monedas y pagué a la niña que me envolvió los dulces en un papel periódico. Juan Ramón parecía no ver a la niña, sus ojos estaban perdidos en algún punto en el centro de la plaza.

—Hay un lugar que llaman «Cruzeiro das almas» —continuó hablando—, es un espacio reservado para las *macumbas Umbandas*...

—*Macumbas* —dijo la niña, riendo.

—Alrededor de una cruz —siguió Juan Ramón—, la gente deja guaro, cigarros, comida. Cualquier cosa que los muertos puedan necesitar en la otra vida.

—*Macumbas* —repitió la niña, dando los dulces envueltos a mi amigo.

—Schopenhauer llamó a la muerte «el gran desengaño», porque ante ella uno queda expuesto, desnudo. La muerte es la gran maestra que nos enseña a vivir…

—*Macumbas Umbandas* —dijo la niña riendo—, macumbas umbandas —continuó, hasta alejarse del parque.

—¿Sabes que en portugués existe la palabra *Saudade*, que no existe en el español? —comentó Juan Ramón después de un rato.

33

—Le ruego que se comporte poeta —suplicó el doctor Dávila, estirando con nerviosismo la solapa de su chaleco, visiblemente preocupado por la habitual irreverencia de Juan Ramón; quien por respuesta se limitó a encoger los hombros, viendo por la ventana del carro el ocaso que caía sobre la ciudad imperial en la *Serra dos Órgãos*.

Íbamos el doctor Dávila, Juan Ramón y yo. Turcios decidió a última hora no asistir, argumentando que la lluvia de la víspera le había causado una infección de garganta.

El carro atravesó sus ruedas por un enorme portón de hierro negro, sobre una calle empedrada bordeada con infantiles palmeras. En el inmenso jardín, entre cipreses y pinos romanos, varias estatuas de mármol de torsos desnudos jugaban estáticas a los costados, y media docena de magnolias ofrendaban sus tropicales copos de nieve sobre el pasto. Arriba, rumbo a las montañas agrestes de verdor oscuro, el sol agonizante engullía una bandada de escandalosas loras.

—¿Dónde están los cisnes? —preguntó el doctor Dávila al descender del vehículo, absorbiendo con los sentidos el embriagador paisaje.

—Son la cena —comentó Juan Ramón con una leve sonrisa, alzando la cabeza en dirección del palacio.

Era un edificio con motivos persas, de agujas decoradas como esgrimas soberbias en las esquinas superiores, un pórtico redondo de columnas talladas, ventanales de jambas ojivales y dinteles con bajos relieves de flores y escrituras árabes; alfeizares de mármol y una bóveda encebollada de color azul, erecta a uno de los extremos de la construcción, con decoraciones esculpidas, terminadas en un *finial* de bronce. Al ingresar, una enorme araña de luces eléctricas reflejaba sobre cristales y espejos, finas alfombras de múltiples colores y estampas que marcaban el inicio de un ambiente de ensueño. En la pared frente a la puerta principal, se veía la pintura de una aborigen desnuda en una playa virgen, prendida con nostálgica mirada a una flecha de plumaje rojiblanco hundida en la arena.

—Se llama *Iracema* —dijo una bella joven de unos 16 años que se acercó a recibirnos—. Y quiere decir: «Hecha de miel».

Nuestra anfitriona era una joven de pupilas azules como los lagos de Nicaragua, niña aún, entre dos erguidos volcanes de musa. La frescura primaveral bajo su falda dejaba ver el comienzo turbador de una media de color de carne, sus brazos blancos como cuellos de cisnes y sus hombros desnudos; ágiles mariposas que volaban bajo los cabellos oleados de oro.

—Es triste —comentó Juan Ramón, sin ver a la joven, su mirada puesta en la pintura de la pared—, para ella el mundo está terminando.

—Y para nosotros la noche está comenzando. Veo que ya conocéis a mi hija, yo soy Moritz, Moritz Prozor, a vuestras órdenes.

Era el conde Prozor, anfitrión de la velada, representante diplomático del Zar Nicolas II, famoso por haber hecho la traducción de las obras del romántico Henrik Ibsen. Su encantadora hija, Greta (inmortalizada años después en un retrato hecho por Matisse), nos llevó a la sala repleta de artistas, diplomáticos, millonarios industriales y oligarcas herederos de la era imperial brasileña, acompañados todos por sus bellas y elegantes mujeres de la alta sociedad.

Un ejército de silenciosos sirvientes negros vestidos con uniforme blanco repartía las bebidas en bandejas plateadas, mientras una banda de músicos —también negros— tocaba suaves melodías barrocas en instrumentos de cuerda, que apenas podíamos escuchar por el barullo de cristales, cubiertos y voces de los invitados, inmersos en un mar de discusiones.

—¿Ya conocen ustedes al poeta Rubén Darío? —nos preguntó el conde Prozor, presentándonos al laureado bardo, quien a su vez nos presentó a su amigo y secretario, Julian Sedano.

Mucho había cambiado Rubén Darío desde la última vez que le vi en una recepción en la casa del presidente Barillas Bercián en Guatemala. Aquello había sido en 1891, cuando reunido el equipo de *El correo de la tarde*, dieron despedida al joven Enrique Gómez Carrillo, que partió hacia París y no volvió más. Ahora la fama lo había engordado, resaltando sus neurosis al punto de lo insoportable. Se rodeaba de oscuros personajes que no hacían sino drenar su celebridad, como Julian Sedano y Leguísamo, aquel hombre rubio y alto que murió fusilado por ser espía alemán al inicio de la gran guerra, que se presentaba a sí mismo como secretario del poeta y decía ser hijo ilegítimo del archiduque Maximiliano de Austria a su paso por Puebla.

Juan Ramón Molina y Rubén, que algunos llamaron

«poetas gemelos», no podían ser más distintos el uno del otro. Compartían sí, desde su origen provinciano, la pasión y genio por la poesía, el saber disfrutar de los colores del arcoíris, el temor a los rubíes artificiales y a los engranajes de hierro, el amor por las luciérnagas del trópico y por las olas del mar en el Pacífico, y el vivir en la dipsomanía —quizá bajo el hechizo de un hada perversa, que les marcó un destino trágico—. Pero sus mundos eran opuestos: Darío, tímido y retraído, sumamente sensible a la crítica, amaba los salones aristócratas, donde cantó las melodías más dulces del idioma, al amparo de finos licores, cojines de seda roja y terciopelo azul, entre las piernas de blancas gaviotas y los senos de garzas morenas; mientras Molina, animal gregario y escandaloso, crítico implacable de todo y de todos, con un talento especial para caer mal y comprender la ironía del modernismo en las calles sucias de Tegucigalpa, gastaba sus días en los oscuros tugurios, con una corte de mugrosos pateros y prostitutas sin dientes ni pétalos rosas para besar en los labios.

Nunca, hasta ese día, se habían conocido. En algún momento llegué a acariciar la idea de una cooperación entre ambos genios, considerados a todas luces, los más grandes de Centro América. Llegué a presentar a Máximo Soto Hall un proyecto de revista a cargo de los bardos, que afortunadamente no se concretó, porque cuando los vi juntos, ese día, comprendí que tal empresa era imposible.

De entrada, Darío pareció ignorar y hasta despreciar la presencia de Juan Ramón, al punto de molestarle. Varias veces le preguntó su nombre sin preocuparse por grabarlo en su memoria, encantado como estaba, con los tiernos hechizos de la joven Greta, a quien dedicaba las palabras más dulces de su lírica, invitándola a volar con él sobre el *Pão de Açúcar* en la bahía, entre la selva impenetrable del Amazonas, hasta las cataratas del Iguazú del río Paraná, bajo los túneles del *Ouro Preto*, entre topacios, diamantes y rubíes. Luego, en la medida que las bebidas subían el tono de las conversaciones, daba la impresión que se empeñaba en descalificar los argumentos de Molina, como cuando el conde Prozor preguntó al poeta por un artículo que escribió a razón de la muerte de Ramón Verea, conocido periodista e inventor, famoso por sus posturas anticlericales.

—Conocí a Verea, sí —dijo Juan Ramón—, en Guatemala, hace ya varios años. En aquel tiempo me gustaba leer todos los libros y periódicos que atacaban al catolicismo y más o menos me había convertido en un omnipotente librepensador, que hubiera certificado, llegándose el caso, que no había ni nunca ha habido Dios y que todo era, a mi claro entender, un espantajo creado por el miedo y la superstición del hombre primitivo.

—En eso no puedo estar de acuerdo, mi estimado poeta —interrumpió Rubén Darío, acercándose al círculo que comenzaba a ampliarse en una esquina, y llevando en su mano una copa de vino—. Dios lo es todo: es la gran voluntad que penetra todas las cosas; el mar, los bosques, los animales, al hombre y a la mujer. Es la armonía del universo. El mal solo surge cuando nos alejamos de esa armonía. Dios creó y nos creó a su imagen y semejanza; es por eso que en la unión de los sexos se encuentra al creador.

Dijo eso último lanzando una intensa mirada a la joven Greta, quien ignoró el comentario observando su reflejo en la ventana.

—Pues según Nitzsche —comentó Molina, viendo a Darío— es el hombre quien creó a Dios a su imagen y semejanza, y si Dios es poeta, tendrá que ver con la imagen de quien lo creó.

—¡Del *superhombre* líbrame Dios! —ironizó Darío—, afortunadamente, Dios no muere, ni morirá nunca, como anunció el filósofo de Sils.

—¿Y qué es más adecuado para comprender el universo entonces —interrumpió el conde Prozor—: el arte o la filosofía?

—El arte, claro está —se apresuró Darío—, ¿qué mejor forma de conocimiento que la tragedia?

—Lo mismo decía Nitzsche —comentó Molina—, él decía que el arte es más sabio que la filosofía.

—Y si lo dice un filósofo es cierto —increpó Darío.

—¿Y usted que cree, poeta? —preguntó Julian Sedano, viendo a Molina con sus intensos ojos azules.

—No estoy seguro, para mí la filosofía ha sido el triste elixir que vació mi cielo, y sin cielo, no hay poesía.

—Yo prefiero el arte y más la poesía —dijo la joven Greta—, pues el artista da color a las palabras grises del filósofo, y el poeta da cuerpo a las ideas que no existen, sino hasta que se las nombra. Ahora si nos disculpan, hay algo que quiero mostrar al poeta.

Y tomando a Juan Ramón del brazo, lo sacó del círculo de intelectuales. Él, sorprendido por la invitación de la joven, se dejó llevar por Greta Prozor, que lo condujo por las habitaciones de la casa.

En los ojos de Darío pude ver la luz de la envidia, él, más

que nadie en aquella sala, deseaba los brazos de la joven musa. El conde Prozor, magnífico conversador, supo desviar la atención de Darío, preguntándole por sus impresiones acerca de los simbolistas en París.

34

La velada transcurrió sin mayores incidentes, con exquisitas discusiones —subidas de tono por el vino y el calor del trópico—, y con los exquisitos versos compartidos por Rubén Darío, que fueron acogidos con emoción, especialmente por las bellas damas, que suspiraban con las metáforas idílicas del bardo.

El doctor Dávila quiso presentar públicamente a Juan Ramón Molina, lucirlo ante todos como un adalid de los versos, en una especie de duelo lírico con Rubén Darío, pero ni Molina ni Greta Prozor aparecían por la sala.

—Ojalá no me salga con una de las suyas —dijo el doctor Dávila, cuando se resignó a no lucir al poeta.

Al final de la noche, cuando los carros comenzaban a salir por la calle empedrada y nos preparábamos para despedirnos del conde Prozor, la joven Greta entró a la casa empapada de pies a cabeza. Su padre, intentando ocultar su sorpresa, hizo un comentario sobre el hábito de Greta de nadar bajo la luz de la luna. Ella, disculpándose por haberse ausentado tanto tiempo, se despidió de nosotros, subiendo luego a sus habitaciones, ante la mirada estática de Rubén Darío, que por poco se desmaya cuando vio entrar a Molina, al igual que Greta, completamente empapado.

—¿Está listo para irse, poeta? —preguntó el doctor Dávila, ocultando su molestia con Juan Ramón.

—Sí, doctor —dijo Juan Ramón, viendo cómo Greta subía las gradas del palacio.

No fue sino años después cuando supe lo que pasó

esa noche. Juan Ramón nunca habló de ello. Cuando le preguntábamos, daba respuestas evasivas, cambiando la mirada hacia otro punto.

Conversación con Greta Prozor en un café de París,
después de la gran guerra

Una mañana de París, al final de la Gran Guerra, visitando a Enrique Gómez Carrillo, tuve la suerte de encontrarme con la bella Greta Porzor, ya toda una elegante mujer de la socialite parisina. Cuando me preguntó por Juan Ramón y le conté las condiciones de su muerte, pude ver sus ojos llenarse de lágrimas.

—Discúlpeme —me dijo, enjugando sus lágrimas— aunque solo le vi una vez, guardo un muy lindo recuerdo del poeta.

Entonces le pregunté por aquella noche en su palacio de Río.

—Yo noté que el poeta se sentía fuera de lugar —comenzó—, le vi desde que entró a la casa aquella tarde, cuando prendió su mirada al cuadro de Iracema. «Es muy triste», me dijo, y era como si fuera él quien lloraba. En el transcurso de la noche le vi conversar con los demás invitados, respondía a las preguntas de mi padre con toda cortesía, pero él no estaba allí, él andaba en otra parte, en un lugar oscuro, frío como el invierno.

—¿Frío como la muerte?

—Frío, aún no se si la muerte es fría... Fue cuando se acercó Rubén Darío, quien toda la noche había procurado llamar mi atención. Noté que hablaban de Nitzsche, de arte y de filosofía. Recuerdo que tuve la impresión de que Darío no sabía de lo que estaba hablando, pero comprenderá usted si no dije nada, siendo aún una niña, todavía no desarrollaba el placer de meterme en las conversaciones de hombres adultos. Luego vi la luna por la ventana. Era una luna llena, brillante, melancólica, que parecía dar vida a las estatuas de mármol del jardín. «Para mí la filosofía ha sido un triste elixir que vació mi cielo», dijo el poeta. Lo recuerdo muy bien porque en ese momento yo miraba la luna e imaginé mi vida sin el hermoso satélite. Entonces decidí a sacarlo de allí, llevarlo a conocer las hadas, los duendes, los elfos… las ninfas.

«¿A dónde vamos?», me preguntó al salir de la casa. Parecía que estaba nervioso, como un niño que se escapa de la escuela.

«Tú ven», le dije, tomándolo de la mano.

Siempre me han gustado las manos de los poetas, a diferencias de las de los pintores que son ásperas y gruesas, la de los portaliras son finas, delicadas, pequeñas, como manos de mujer. Rubén Darío tenía unas manos muy lindas, también Juan Ramón.

Lo llevé por el jardín. Las estatuas de mármol resaltaban como criaturas de hielo, brillaban pálidas entre las sombras. Los pétalos blancos de las magnolias eran como copos de nieve sobre el pasto, o como pedazos de terciopelo que la luna soltaba sobre el mundo.

«¿De dónde eres, poeta?», le pregunté.

«Tegucigalpa», me dijo, saboreando el nombre como un dulce de leche.

«¿Y esa ciudad cómo es?»

«Aburrida. Por la mañana, las campanas de la iglesia suenan monótonas: tin... tan... tin... tan... es como el péndulo maldito de un reloj desapacible. Se ve por las calles alguna devota asmática o alguna niña en sus floridos abriles, luciendo todos sus alfileres. Luego, al medio día, dan ganas de suicidarse. Las calles vacías parecen lamidas por el sol cenital en un deslumbrador de ascuas. Los negocios están cerrados, y si están abiertos son oscuros y mal olientes como cueva de jabalí».

«¿Qué haces entonces?»

«Nada, meterme a las cantinas a beber cerveza o tomar whiskey barato, muy malo. Por la noche, los jóvenes salen con lo mejor de sus guardarropas, se pasean en el Parque Morazán, en rebaño, fuman detestables pitillos y plebeyos cigarros puros, cortejan a las muchachas lindas, meticulosas y mal trajeadas; todo al son de los cobres de la banda marcial. A las nueve y media, Tegucigalpa duerme el pesado sueño de las ciudades vegetativas».

«¿No hay mucho entones?»

—Él negó con la cabeza, quizás buscando algo en su recuerdo. En ese momento pude ver cómo miles de luciérnagas se levantaban formando constelaciones en el pasto, eran como átomos desprendidos de la luna.

«Me gustan las luciérnagas», me dijo el poeta, agachándose para tomar una con la mano, llevándola luego a su rostro, como queriendo besarla o susurrarle algún secreto. Su rostro se iluminó suavemente con la luz de la luciérnaga, y pude ver en sus mejillas, una brillante lágrima caer a las sombras.

191

«¿Te gusta nadar, poeta?» —le pregunté, tomándolo de la mano sin esperar su respuesta, y halándolo entre risas hasta un pequeño estanque hecho en los años del emperador Pedro I.

«Hace calor», le dije, quitándome la ropa y saltando desnuda al agua…

—Al principio, él no quería meterse. Recuerdo que le rogué varias veces que se quitara la ropa y se zambullera. Al final lo convencí, haciéndole ver que no eran muchas las oportunidades que tenía en Tegucigalpa para nadar desnudo con una condesa.

«En eso te equivocas» —me dijo al salir de fondo del estanque—, «en Honduras también tenemos una corte real.»

«¿Sí?».

«Sí. Tenemos al duque Benito Pelusanga, al conde Próspero Bambita, al marqués Cruz Managua y al barón Chepe Pelo´echampa.

«¿Y ellos quiénes son?».

«Borrachos inadaptados, delincuentes de pacotilla que viven de la limosna».

—¡Igual que en Rusia! —dije—. Ambos reímos. Lo besé. Nadé hasta él sobre el reflejo de la luna, acerqué mi pecho desnudo al suyo, flaco y pálido, y lo besé. Tenía unos labios suaves, carnosos, como dos duraznos maduros; su bigote húmedo me hacía cosquillas, me gustaron sus ojos claros. Yo hubiese querido besarlo más, amarlo bajo aquella luna mágica, pero él parecía nervioso, incómodo. Inmediatamente nadó a la orilla y comenzó a vestirse. Yo le seguí, con miedo quizá de haber hecho algo inapropiado.

Allí estuvimos largo rato, en silencio, sentados bajo la luna llena. Luego comenzó a recitar aquel poema.

—¿Recuerda el poema?, interrumpí, expectante.

—¿Que si lo recuerdo?, claro que sí. No todo, pero lo recuerdo en esencia. Era oscuro y triste, como una cueva de arañas y escorpiones.

La copa de mi vida, donde escanciaba mieles, llena está hasta los bordes de ponzoña y hieles….

Lo cantó con una voz dulce y suave, casi en susurros. Quizá no era a mí a quien cantaba, sino a aquellas pequeñas luciérnagas que cubrían la arboleda.

Ansiosamente espera mi corazón, que llegue ese glorioso instante en el eterno círculo del inmortal cuadrante…

—¿Qué pasó después?

—Yo lloraba como una chiquilla. Sentía vergüenza por mi frivolidad, por estar allí, con aquel hombre que sufría tanto; por ser joven, ignorante aún de lo que es el dolor. Me acerqué a él y lo abracé con fuerza, quería cuidarlo como una madre cuida a un hijo. Él me abrazó, pero ya no estaba allí, se había ido. Luego cambiamos de tema, le hablé de mis lecturas de Nitzsche, hablamos del amor.

«El amor es un sentimiento de propiedad», le dije.

—Él respondió que el amor era crear.

«Es hacer que lo más vulgar se convierta en joyas preciosas».

«¿Crees que se pueda amar y respetar a una persona a la

vez?», le pregunté.

«El respeto está basado en el temor, en el poder que esa persona ejerce sobre nosotros. En cambio, en el amor no hay poder, no hay jerarquías. Cuando amamos, ocultamos nuestros defectos, no por temor a esa persona, sino porque no queremos que ella sufra por nuestra culpa».

«¿Qué se siente perder a alguien amado?», le pregunté. El poeta suspiró profundo, vio la luna como pidiendo permiso para traer a él todos esos recuerdos.

«Es como ir en un barco sin dirección, a la deriva. Esperas que la próxima ola termine tu viaje y te hunda, porque cuando menos la profundidad es un destino.

—Luego se levantó y se sacudió la ropa.

«Es hora de irnos», me dijo, extendiéndome su mano caballerosa.

—Al levantarme aproveché para halarlo y empujarlo nuevamente al estanque, riendo, feliz. Él, al salir me reprochó por la traición y se acercó a mí. Yo me quedé allí, esperando con los ojos cerrados. Me besó nuevamente. Recuerdo ese beso con cada detalle; su aliento, el agua que caía sobre mi rostro, su piel fría. Luego me arrojó al agua.

—Fue cuando volvieron a la fiesta.

—Así fue.

Me despedí de la condesa en aquel café parisino, consciente de que nunca más la volvería a ver. Mi sorpresa fue grande cuando, luego, en Nueva York, conocí el retrato que Matisse le hizo.

—Una cosa me llamó la atención esa noche —me dijo la condesa, antes de salir por la puerta del café—: luego que él me arrojó al agua, entre risas y palabras dulces, me llamó Lola.

—¿Lola? —pregunté.

—Sí, Lola. Yo no le corregí, estaba segura que él no estaba conmigo.

35

Seis semanas duró la Tercera Conferencia Panamericana de Río de Janeiro de 1906, con un único resultado en Derecho Internacional, gracias a la presencia del secretario de Estado norteamericano, Elihu Root. De la renuncia por parte del gobierno argentino a implementar la *Doctrina Drago*, aquella que prohibía la intervención de potencias europeas en territorio americano, y declarada como respuesta al bloqueo naval que el Reino Unido, Alemania e Italia impusieron a Venezuela a finales de 1902, luego que el recién llegado presidente Cipriano Castro se negara a pagar la deuda externa; en el momento en que Roosevelt ignoró su *Doctrina Monroe*, que establecía básicamente lo mismo (América para los americanos). Nadie en el continente quería, a excepción de Bolivia —que suplicó durante la conferencia que dicha *Doctrina Monroe*, o en su defecto la *Drago*— sirviera también en los casos de invasiones entre países americanos, después que perdiera ante Chile la provincia de Antofagasta —y con ella su salida al mar—, en la *Guerra del Pacífico* originada por una disputa sobre los impuestos del salitre.

Salimos de Río una mañana de agosto, cuando el amanecer pintaba el horizonte. A diferencia del viaje en *El Günther,* esta vez el Atlántico fue generoso con nuestra navegación; nos permitió disfrutar de los resplandecientes días en cubierta, extasiarnos con el maravilloso espectáculo del mar abierto.

Juan Ramón parecía contar con una renovada energía. Gracias a la lectura de su poema *A una muerta*, en una de las veladas de Río de Janeiro, consiguió la corresponsalía para Centro América del periódico *La Nación* de Argentina. Al final solo cumplió con una nota, que seguro ni cobró. Subía y bajaba a los camarotes hablando histriónicamente de alocados proyectos que arrancaría al nomás volver a Honduras: haría una revista, una novela, una editorial, un ensayo sobre las características del modernismo en Centro América, y puso especial empeño en la lectura del manuscrito de la novela *Anabell Lee* de su amigo Turcios, de la cual escribió el prólogo.

El transatlántico se detuvo en Cabo Verde y en las Islas Madera, donde pudimos disfrutar durante un día de los grandes peñones, el cristalino mar y las playas nacaradas. Turcios contrató un carro tirado por dos vacas con cuernos adornados con ramos de rosas y cintas de colores. Eran dos vacas blancas destinadas a recorrer la ciudad con los turistas. Volvió por la tarde con una extraña colección de postales pornográficas que destilaban sangre en las imágenes. Al observarlas detenidamente, Turcios argumentó que no sabía lo que estaba comprando, y las regaló a uno de los marineros, a pesar de los reclamos de Molina que le aseguraba un buen negocio vendiéndolas a pervertidos de Comayagüela.

—Conozco quien te puede dar hasta cinco duros por cada una —le dijo, riendo, luego que Turcios comentara que no sería él quien llenaría Tegucigalpa de hombres con las cuencas vacías.

Una mañana vi la ciudad blanca de Lisboa alzarse sobre la costa. El sol resplandecía sobre las paredes de piedra de los edificios, y en las calles con nombres metálicos que abrían la puerta a una Europa de piel oscura, mora, medieval, africana.

Nunca en mi vida había visto un lugar con tantos pájaros, miles de gaviotas escoltaban nuestra nave como una sombra alegre hasta el muelle, saltando impúdicos a cubierta, para luego alzarse al cielo en algarabía. En el atracadero, sobre los centenarios postes de madera carcomidos por el salitre, un coro frenético de pelícanos se zambullía en las oscuras aguas. Miles de gorriones cubrían los frondosos árboles de las avenidas, formando círculos en las plazas y revoloteando al paso de los transeúntes.

—En Tegucigalpa ya se los hubieran comido a punta de hondazos —dijo Molina, disfrutando las aves en sus manos, sobre sus hombros, en su cabeza. Turcios, solemne como era, reclamó la barbarie de nuestro pueblo.

—Nunca saldremos del atraso mientras sigamos comiéndonos todo lo que nos rodea —dijo.

Finalmente, luego de una pequeña escala por las avenidas imperiales de la antigua *Al-Ushbuna*, tomamos el tren rumbo a Madrid.

Por la ventana del tren desfilaban los plateados olivares formados en línea militar; las áridas llanuras, secas, míseras, donde las gallinas enclenques escarbaban el suelo calcinado; las interminables filas de alcornoques a medio pelar; los raquíticos pinos en las aldeas polvorientas, sórdidas, tristes y lamentables; las norias estáticas y los chiquillos cubiertos en harapos.

—Esto se parece más bien a Pespire, después de la guerra —dijo Molina, viendo el paisaje devastador desde la ventana del tren, recordando las historias que su padre le contaba sobre reino decadente de Isabel II, «la reina de los tristes destinos». Una reina que parió más hijos muertos que vivos y sobrevivió a su propia muerte el día que el cura apóstata —que pagó con su vida el fracaso regicida—, la apuñaló en el costado, cuando la reina asistía a los servicios religiosos en la Basílica de Nuestra Señora de Atocha, después de haber parido a la infanta Isabel.

En Madrid nos recibió el poeta José Santos Chocano, que entonces ya vivía empeñado en la búsqueda de tesoros enterrados. Irreprochablemente vestido, con su porte de príncipe y su imperativa testa poblada de negros cabellos y mostacho altanero. Nos acompañó por museos y exposiciones, bailes gráficos en los merenderos de los suburbios, teatros y cenas. Madrid tenía tanto para mostrarnos, que apenas dormíamos dos o tres horas cada noche, sin que eso hiciera mella en nuestras energías.

Una mañana llegó a buscarnos al *Hotel Roma*, donde nos hospedábamos. Turcios había pedido asistir al Escorial, donde según Chocano había un auténtico clavo usado en la cruz de Jesucristo. Molina replicó del plan, argumentando que prefería ir a una corrida de toros, espectáculo más excitante —según sus palabras— que un triste clavo negro colocado a mitad de una vara de oro en una oblonga y angosta bomba de cristal.

Pero Turcios, firme como era en sus propósitos, ganó la discusión y todos fuimos testigos cuando, olvidándose de sus lecturas profanas, pagó unas monedas al cicerone que nos guiaba por la capilla y quien, una vez recibido su pago, se retiró del salón mientras Turcios se arrodillaba frente al altar, sacando el clavo de la bomba para besarlo con inusitada fe.

—¿Y cómo podés saber que este pedazo de hierro es

realmente el clavo que perforó la piel de Jesucristo hace casi 2,000 años? —preguntó Molina, honestamente intrigado.

—Es cuestión de fe, poeta —respondió Turcios levantándose—, si se cree en él, es real.

—Que la fe te haga creer que es verdad lo que crees, no quiere decir que eso sea verdad. Yo puedo asegurarte que ese clavo fue hecho por los visigodos en el siglo V, fue usado como parte de la estructura de sus primeros palacios burgueses y aun así, mi creencia no deja de ser menor real que la tuya —replicó Molina.

—Hasta que la ciencia nos confirme que ambos están equivocados y este clavo en verdad era parte de la estructura con que se construyeron las calaveras que Cristóbal Colón usó en su primer viaje por el transatlántico, traído desde Portugal por una tribu de gitanos y vendido al Felipe IV, quien al final no pagó, argumentando ser dueño del mundo y por lo tanto del clavo, no podremos saberlo —comentó Chocano, agradeciendo al cicerone no haber visto la profanación de Turcios.

Antes de salir del Escorial, después de visitar la casa del príncipe y dar un recorrido de casi cinco horas por el edificio, el cicerone, un anciano monje de cara aceitunada, nos condujo a las míseras y tristes habitaciones donde Felipe II pasó su hora postrera.

—En esta cama expiró el rey Felipe II de España, Monarca de Nápoles, de Sicilia, de Portugal, de los Algarves, de Inglaterra y de las Indias; responsable de la expansión del imperio a todos los continentes del planeta —dijo con suma reverencia el monje, describiendo luego la dolorosa agonía del soberano, cuando las purulentas úlceras de la piel se le infectaron, y las moscas anidaron gusanos blancos que el emperador sacaba con los dedos, entre gritos y maldiciones de pena.

—El olor nauseabundo era tal —dijo el poeta Chocano—, que fue necesario construir con madera de galeón un ataúd hermético para las exequias, que resultó inútil, pues la corte desfilaba con un pañuelo perfumado frente a la boca, brindándole los honores al más grande rey que el mundo había conocido.

—En esta humilde silla —dijo el monje, luego que el poeta Chocano terminó su intervención—, se recostó durante mucho tiempo, cuando ya la muerte rondaba su paso…

Fue en ese momento cuando Molina, inspirado quizá por el acto de Turcios en el salón del clavo de Cristo, se acercó a la silla y sin mediar palabra se sentó, dejando escapar un ligero crujido en el mueble, como el que hacen las vértebras de un hombre cuando estira su espalda o el de una soga al caer un cuerpo inerte en el patíbulo. El monje, sorprendido por la audacia del poeta, abrió su boca inerte, contemplando cómo Juan Ramón estiraba sus pies y recostaba su espalda en el respaldar.

—El mundo desde acá, tiene un aire insípido —dijo Molina antes de levantarse.

Turcios, que reía a carcajada abierta por la irreverencia del poeta, pagó unas monedas al monje, que no lograba cerrar su boca y nos despidió en la puerta del aposento con la mano abierta, las monedas aun en la palma y una sorpresa republicana en los ojos.

—Ahora, amigos —dijo Chocano en el tranvía—, vamos a buen tiempo para lo mejor que España puede ofrecernos: los toros.

***

Turcios odió la corrida de toros, odió los gritos de los espectadores en las graderías, los aplausos ante la suerte del torero. Varias veces quiso salir de las vallas de madera pintadas de rojo, escapar por el callejón de aquel espectáculo violento y primitivo, que vive, no para el turista, sino a pesar de él.

—¡Ese es un deporte de salvajes! —exclamó Turcios horrorizado.

—La corrida de toros no es un deporte —corrigió Molina, su mirada sembrada en el círculo de la arena—, es una tragedia.

—Tragedia o no, me parece desagradable ver la muerte como espectáculo para poner dinero en la mano de un monigote mal vestido.

—Desagradable es cuando el torero carece de habilidad y talento. Desagradable sería verme a mí o a usted burlar las embestidas del toro. Y dígame, ¿Cómo piensa usted escribir sobre lo que no es capaz de ver?, ¿cómo pretende hablar sobre la muerte si cierra los ojos ante ella? —le dijo, invitándolo luego a sentarse y ver la corrida con ojos modernistas—. Deje que sea el toro el que vea la escarlata —continuó—, usted ponga sus ojos en los pies del torero. El miedo vive en los pies. Él es un novillero, sus pies son de piedra, pesados, torpes. En un matador con experiencia, sus pies son plumas ágiles, claros bocetos sobre la superficie del suelo.

Era tarde sobre la plaza. Corrían días cálidos y extensos en el fin del verano madrileño. Froylán se quedó toda la corrida, a pesar de sus reclamos. Molina contempló extasiado las últimas bocanadas desesperadas del toro, que comenzó a desplomarse de a poquitos, como un templo antiguo ante el balanceo implacable de un terremoto o ante el destructor vaivén de una tormenta.

36

París era el centro del mundo, la *Ville lumière* que inspiró a los modernistas, cuando en Santiago del nuevo extremo Rubén Darío afinó su pincel y pintó de Azul las letras castellanas; ahí, donde la prosa hispana respiró el aroma etílico de los simbolistas. París, capital de príncipes, artistas y dictadores.

Llegar a París fue como abrir la puerta a un banquete de inagotables sabores, o saltar desnudo a la boca de un volcán vibrante de fuego. Tanta fue nuestra emoción, que parecíamos niños en una confitería. Cambiamos las medidas del tiempo, los minutos se volvieron horas, las horas fueron días intensos: museos, galerías, recitales, bulevares vertiginosos; todo se abrió ante nuestros ojos extasiados, ávidos de urbanidad y cultura.

El doctor Dávila había partido rumbo a Alemania para tratarse un problema de salud y nos dejó en el *Hotel Términus,* sin más obligaciones que seguir una curiosidad que solo París podía saciar.

Fue también por esos días cuando Molina comenzó uno de sus peores ataques de melancolía. Lo supe una madrugada cuando le vi deambulando entre los pasillos oscuros del hotel: su barba de náufrago itaquiense, sus ojos, un lago de aguas profundas. Un reguero de hojas de papel repletas de borradores de versos y prosas que parecían caer de sus bolsillos, como de los sonrosados dedos de Eros cayó la aurora.

—El poeta sufre —me dijo Turcios, cuando le confesé haber visto a Molina caminar en la oscuridad como un muerto viviente.

—Dice que está escribiendo el prefacio de *Annabel Lee* —comenté.

—Así me dijo, me pidió nuevamente el manuscrito para leerlo con mayor detalle. Temo que el prólogo será mejor que mi pobre novela.

—No me cabe duda que su trabajo sabrá hacerle honor a su talento —dije—. Además, el doctor Dávila está seguro que París puede curar el mal que agobia al poeta Molina.

—El doctor Dávila no tiene ni idea de lo que es la dipsomanía. Él cree que se cura con la pura voluntad. Por otro lado, Juan Ramón nunca había salido de Honduras. Su mente está allá, entre los pinos y la cresta azul de los cerros, y dudo que París sea tan fuerte como para sacarlo de allí.

—Por lo pronto hay que sacarlo del hotel, no puede pasarse acá todo el tiempo —comenté.

Buscando distraer la mente efervescente de Molina, fuimos al museo de Orsay en la *Rue de la Légion d'Honneu*r, donde entre las obras impresionistas del siglo XIX (Delacroix, Millet, Manet, Pisarro, Cézanne, Van Gogh, Gauguin, Seurat y otros), albergaban una exhibición itinerante de autómatas.

Instalado en una antigua estación de tren, el museo componía el más bello mosaico jamás visto por nuestros ojos.

—Es el destino del hombre, imitar a Dios—dijo Turcios.

En un amplio salón en el tercer nivel del museo, estaba

la muestra itinerante de los autómatas. Era una serie de dibujos, planos y diagramas de rudimentarios hombres máquina diseñados para los más variados propósitos; desde los dioses construidos para espantar a los supersticiosos en el antiguo Egipto, pasando por las máquinas guerreras de Arquímedes y los sirvientes de Alberto Magno y da Vinci, hasta el maravilloso diseño del reloj elefante de Al-Jazari; un complejo mecanismo animado por seres humanos y animales mecánicos que se movían y marcaban las horas ya distantes del siglo XIII. Turcios, intrigado con la estructura del artefacto, concentró su atención en los diagramas, imaginando quizá un diseño a escala real que seguro adornaba el salón de algún palacio de Oriente Medio.

—René Descartes tuvo una hija autómata —contó Molina.

—Para Descartes, todo lo que carece de intelecto es autómata. Los animales son autómatas —comentó Turcios—, porque su único fin es sobrevivir y prolongar la estirpe.

—*Cogito ergo sum* —intervino Molina—. Cuando me refiero a «hija autómata», no hablo de una «cretina de los Alpes», sino de una especie de pieza de relojería que hablaba y se movía de forma independiente. Dicen que, a la muerte de su hija de cinco años, el filósofo decidió reconstruirla: una especie de *golem* infantil que hacía uso de lo más granado de las ciencias. Al concluir, se unió a ella inseparablemente: le hablaba, le comentaba sus proyectos, consultaba con ella algunos problemas de difícil resolución, e incluso le pedía consejos.

—Bella frontera, diminuta y frágil, entre historia y literatura —dijo Turcios.

206

—Frágil sí —respondió Molina—, como la realidad en el duermevela... Incapaz de dejarla sola, Descartes llevaba a su hija autómata a todos lados, hasta que, para asistir a una conferencia en Holanda, decidió embarcarse con la pequeña Francine en una caja con forma de ataúd miniatura. Cierta noche, el capitán del barco, un hombre curioso e imprudente, intrigado por el contenido del cofre, forzó la cerradura y descubrió, para su horror, a la pequeña de rostro macilento, levantándose de su ataúd y hablando en un perfecto francés: «*Bonjour cher père*», dijo la niña. Horrorizado, el supersticioso capitán arrojó a Francine por la borda y mandó a llamar a Descartes, acaso para pedirle explicaciones por aquel invento del demonio. El filósofo, hombre de humor volátil, se abalanzó contra el capitán y le dio muerte, arrojándole luego a las frías aguas nocturnas en donde aún yacen, marino y niña mecánica, acompañando a las caracolas y langostas.

—No hay peor crimen que el de despojar a un hombre de sus fantasías —afirmó Turcios.

En uno de los rincones del museo, una esquina oscura, alejada del tráfico regular de la exhibición, se encontraba una obra que a Molina impresionó sobremanera: un hombrecillo mecánico compuesto por más de 6,000 piezas de minúsculo tamaño llamado «El escritor», diseñado por Pierre Jaquet-Droz, relojero suizo del siglo XVIII.

Al principio no nos pareció particularmente especial, no más que una marioneta o una muñeca con rostro de porcelana; tenía la espalda abierta y dejaba ver sus engranajes. Lo contemplamos como se ve un mueble fino o un cuadro, hasta que un joven se acercó a nosotros y nos ofreció activar el autómata girando la perilla de la cuerda.

Un pequeño crujido dejó saber que el autómata iniciaba su actividad. Los ojos muertos del hombrecillo se abrieron y vieron de frente a Molina. Cualquiera hubiera pensado que le reconoció de entre todos los presentes. Su cabeza se inclinó, como contemplando en silencio un adjetivo apropiado. Corrió la mano izquierda hasta una pequeña hoja virgen de papel. La mano derecha, donde pendía una pluma, buscó con una exactitud aterradora, un pequeño frasco de tinta negra. Luego regresó la mano y posó la pluma sobre el papel, iniciando una serie de círculos y líneas.

—¿Qué está escribiendo? —preguntó Molina.

El joven guía se acercó y leyó las palabras que el autómata escribió: «*Ce petit monde n'existe que dans la mémoire*».

—¿Y eso qué quiere decir?

—Este pequeño mundo existe solo en la memoria —tradujo.

Molina guardó silencio. Sus ojos contemplaban los ojos inertes del autómata, que parecía buscar una nueva frase para escribir. Luego repitió los movimientos anteriores: la cabeza inclinada, la mano izquierda sosteniendo la hoja de papel, la derecha buscando el frasco de tinta, la pluma haciendo círculos y líneas.

—Olvida que olvidas todo, y recuerda lo que no recordabas —tradujo el guía.

—Maldita modernidad —dijo Molina, en un arranque de ira—, maldita la filosofía y todos sus elixires, que sin alma las máquinas olvidarán a los hombres, como los hombres olvidaron a los dioses antiguos. Cada vez estoy más convencido que debí haber nacido en los albores de la humanidad, en la aurora del paganismo, en la riente mañana de la Tierra. Entonces hubiera cantado a los dioses inmortales, no ahora, no hoy que todos están muertos.

37

—¡La lengua de Cervantes! —gritó Molina dramáticamente, una tarde a finales de octubre, al abandonar el hotel. De nada sirvieron los argumentos que construimos para retenerlo. A él no le interesaba el suntuoso ambiente del hotel, la seguridad, la comodidad del vecindario o las órdenes del doctor Dávila de permanecer allí hasta su regreso.

—Necesito un lugar donde se comprendan las letras castellanas —dijo—, un poeta sin su lengua, es como un pez sin agua.

Molina trasladó sus posesiones al hotel América, ubicado en la *Rue Lafayette*, a pocas cuadras de la iglesia San Vicente de Paúl, que en ese tiempo no era más que un tugurio de clase obrera rodeado de antros de mala muerte, donde el poeta se acomodó *como un pez en su agua*.

Turcios, por su parte, aprovechando las mieles que produce una ciudad como París, no tardó en amistarse sinceramente con Rubén Darío, a quien conoció en Río de Janeiro y visitó casi a diario. También visitó a Enrique Gómez Carrillo, a través de quien conoció lo mejor del Barrio Latino; a Leopoldo Lugones, que aún no giraba políticamente hacia el fascismo, y a José Ingenieros, entre otros.

Recuerdo con agrado cuando Turcios, luego de haber plantado inexcusablemente al poeta Darío en una cena en su casa, llegó a nosotros para pedirnos consejos.

—Yo no sé mentir —nos dijo—, y si le digo a Darío que se me olvidó su cena, se va a ofender terriblemente. Ya conocen cómo es de sensible el poeta, pensará que soy su detractor, su enemigo.

—Dígale la única excusa que Darío puede entender sin reservas —comentó Molina.

—¿Y cuál es esa?

—Dígale que tuvo que quedarse en el hotel para hacerle el amor a una bella dama parisina.

—¿Cree usted que me crea?, puede descubrirme fácilmente en la mentira, ya le dije yo que soy muy malo para mentir. Bastará que me pregunte un par de detalles para dejarme sin palabras y…

—Pues si tanto le cuesta mentir, llene su historia con verdades —dijo Molina, recomendándole (con una maliciosa sonrisa) un par de esquinas de la ciudad—. Vaya y contrate una de esas bellas damas que huelen a flores de camino y hágale el amor como se lo haría a la princesa de Gales. El orden de los factores no altera el producto.

Turcios, recatado como era, al principio pareció incómodo con la idea, aunque debió haber seguido los consejos de Molina, porque Darío nunca le reclamó el plantón, más aceptó las disculpas con cómplice agrado.

—Es la única excusa tolerable —dijo Darío—, está usted perdonado. ¿Quién podría desligarse nunca del suavísimo abrazo que nos aprisiona estrechamente sobre el seno juvenil?, entre los blancos muslos de una linda muchacha quisiera hundir la testa cósmica en el instante de mi muerte.

Una tarde lluviosa, luego de tres semanas de viaje por Alemania, entró el doctor Dávila al hotel. Venía triste, a pesar de haber encontrado un tratamiento médico apropiado para su mal. Nos citó en su habitación, donde, sentado en la cama, con un aire solemne, acompañado por largas pausas, nos comunicó nuestro pronto regreso a la patria.

—Debemos irnos —dijo.

—¿Pasa algo doctor? —preguntó Turcios, intrigado por el rostro duro del doctor Dávila.

—Pasa todo mi amigo… Me temo que se acercan días difíciles… Nuestra presencia en Honduras es urgente…

Hubo un silencio incómodo en la habitación, todos teníamos miedo de preguntar la razón de tanta sombra. Finalmente, Molina rompió el hielo.

—¿Ahora quién se alzó en armas?

—Santos Zelaya —afirmó el doctor Dávila.

—¿Vamos a la guerra con Nicaragua? —preguntó Turcios, asustado.

—Aún no hay declaración de guerra, pero todo indica que así será. El señor Zelaya piensa que nuestro pacto de no agresión con Estrada Cabrera es, en la práctica, una alianza de agresión contra su gobierno. Por eso el general Bonilla nos necesita, yo con mi formación diplomática, ustedes son su pluma y talento.

Salimos de París una mañana de otoño. Molina

contemplaba el paisaje en silencio desde la ventana del tren. Las hojas rojas de los árboles caían en grácil baile a la tierra cubierta por una fronda de colores.

—El doctor Dávila me ofreció el consulado de París —me dijo Molina, sin apartar la vista de la ventana.

—¿Y qué le respondió?, inquirí.

—¿Qué voy a hacer yo acá?, imagínese, si ya dicen de mí que traerme en este viaje sólo sirvió para dilapidar los bienes públicos, que crucé el Atlántico para cambiar de guaro, que soy un desperdicio de dinero… ¿qué no dirán con un nombramiento diplomático?

—Sí, lo sé. Pero el cambio de ambiente le puede servir mucho.

—¿Servir?, ¿para qué?, ¿para vivir más en esta tierra ajena y extraña?, ¿añorar una ciudad tropical que no volvería a ver, lejana y falsa como un fantasma, mientras mi alma se deshace en los tugurios del Barrio Latino?, ¿pelear contra los oportunistas, un triste buró de madera, que no sirve siquiera para labrarse un ataúd? Además —continuó, luego de un momento de   silencio—, si Bonilla cae, ¿cree usted que el nuevo gobierno me va a renovar el beneplácito, a mí, un simple borrachín de Comayagüela?

—¿Y está listo para volver? —pregunté.

El poeta miró por la ventanilla. Luego de reflexionar unos segundos dijo:

—Temo que cuando vuelva, el olor a guerra me explote en los sentidos y haga de mí un autómata, como aquellos que vimos en el museo. Un hombre sin voluntad, un ser mecánico que responde únicamente a los designios de un ser superior. Dios o el general Bonilla, no hay diferencia para el *automatón*...

No volvimos a hablar durante el viaje en tren. La floresta colorida de Francia parecía marcar un camino sin retorno para el poeta Molina. Al caer la tarde, llegamos a Boulogne, de donde nos embarcamos rumbo a la ciudad de hierro en el Graff Walersée, entre aldeanos alemanes de barbas incultas y muchachas inglesas de rostros secos y angulosos de tercera clase.

Prólogo a la novela Anabell Lee
Por: Juan Ramón Molina

París, 12 de octubre de 1906

En París, en un cuarto de hotel, mientras la gran cosmópolis ilumina féericamente sus calles, realzadas por los simulacros de los héroes del pensamiento y de la acción, donde trazo el prólogo de este idilio de amor. De amor y de dolor. Si comprimís el libro en vuestras manos, en una hora de meditaciones, quizás tomaría la forma de un corazón, tan enorme cantidad de ternura y de amargura hay en sus páginas. No os imaginéis que su autor tiene esos dolores ancestrales, producto de secretos atavismos; ni que ha sido atormentado por esas penas vergonzantes de las razas envejecidas y empobrecidas por una larga serie de crímenes y locuras. El libro es un desbordamiento de lágrimas sinceras; las veréis correr en algunas de sus páginas: más a veces son tan dulces y a veces tan amargas, tan salidas de los más profundos pozos del espíritu, que no hay mujer que, en la primavera de su existir, no quiera abrevarse lentamente en ellas, como una corza sedienta en las frescas aguas de un manantial perdido en el riñón de las sierras. Llora el poeta sobre sus enfermas ilusiones; pero su llanto no os quedará como un ácido corrosivo, ni os envolverá en una atmósfera de melancólicas añoranzas. No es su tristeza la de un Leopardi, cuando, en una tarde de fiesta, oía a lo lejos la canción del artesano que le recordaba las alegrías de paganismo remoto; ni la de Byron, sentado a popa, frente al mar turbio e inquieto, sin más consuelo que los ojos vidriosos de su mastín, mientras se alejaba en una bruma llena de gaviotas, las costas hostiles de Inglaterra, donde se quedaban su mujer y su hija, que nunca jamás volvería a ver; ni es la de Dante de la Vita Nouva, en su fresca y sonrosada mañana poética; ni la de ninguno de esos grandes poetas malditos que, renegando de la vida, o emborrachándose de tinta o de alcohol, se entregan a una muda desesperación, que les consume como una fiebre, o se escapan de la vida por la puerta falsa del suicidio. Honda, ciertamente, es la tristeza de Turcios; más es tan sincera, tan bien sentida y tan real, que, si tenemos un poco de imaginación y de espíritu, es imposible que no nos conmovamos profundamente al ver desarrollarse ante nuestros ojos uno de los idilios más frescos y, sobre todo, más verídicos que ha tenido por cuadro el fragante edén de la naturaleza de los trópicos. Porque tal idilio no puede suceder más que en un país de sol, de corrientes y de perfumes. Ponedlo verbigracia, en una gran ciudad, en Nueva York, en Londres o en París, y tendréis una historia de amor como muchas, digna de una novela por entrega o de las columnas folletinescas. Es necesario pues, para comprender ese idilio, imaginarse la naturaleza que le ha servido de marco, las circunstancias ambientes que han rodeado a la pareja de enamorados, el medio local, y hasta el carácter íntimo de los protagonistas. En ninguna de esas ciudades puede verificarse lo que se narra en estas admirables páginas de amor y de ensueño. La lucha terrible por la vida, el doloroso refinamiento de la civilización, el estado morboso de súpersensibilidad del hombre y de la mujer, son óbice para concebir un poema semejante, que necesita de un medio bien diferente del trabajo por los siglos y las razas. Para que Lamartine pudiese escribir Graziella, *tuvo que ir a buscar una isla de coral, un caliente rincón madrepórico en el fondo de radioso Golfo de Nápoles, sembrado de islas de fábula y de leyenda, como aquellas en que se estrellaba el barco de Simbad, y donde, entre unos pescadores sencillos y fanáticos, podría encontrar la casta virginidad de su amada, defendida por los frescos azures de los amaneceres y las sales de las brisas del Mediterraneo, que mecieron las naves dóricas y las galeras latinas. El Abate, Prevost, por un momento nos logra conmover con los amores de un petardista y de Manon Lescaut, macerada y envilecida por todos los lechos de alquiler; pero para que su novela no acabe cómicamente con un desenlace de hospital, impregnado de ácido fénico, tiene que enviar a su heroína en el vil cordón de las prostitutas, después, de cercenar su belleza en la fría estancia de un juzgado, a morir en los silenciosos páramos de la Lousiana, sin más sudario que las arenas del yerno. Chateaubriand colocó a Atala y René, no precisamente a orillas del Sena, sino a la ribera del Mississipi, arrullado por el gigantesco rumor de las selvas vírgenes, y donde las tribus aborígenes, empenachadas de plumas de águilas, bautizaron sus hijos y abrevaron sus fauces. Bernandino de Saint-Pierre hubiese caído en ridículo cuando, queriendo entretener a la frívola corte de Versalles, hasta de minués y de profecías de salón, hubiera compuesto un poema de pastores bajo las umbrías de Trianones, que cubrieron las meditaciones de Ronsard, y que, muchos años después, evocara nostálgicamente el autor de* La Sagesse, *el infeliz Verlaine, el más ilustre y desventurado de los anfiones de la Francia contemporánea. Saint-Pierre necesitó, para refrescar los espíritus atediados de su tiempo, llevarlos a una isla lejana, de grandes árboles melodiosos, pobladas de antílopes y de cabras, donde una pareja de niños se besaría bajo un cielo libre y en medio de una naturaleza libre. Pero ¿a qué seguir? No hay poeta en Francia, desde Víctor Hugo hasta Esteban Mallarmé, que no haya inspirado, desde el seno de esta cultura artificial, a esos países remotos de climas templados y muelles, de sangres cálidas y de pasiones violentas, donde el amor no se finge, ni los besos se ponen en almoneda. Todos ellos, desde la mitad del siglo XVIII hasta la del siglo XIX, parece que, desde el bufete de su cuarto de trabajo, aspiran con melancolía, bajo la sugestión del ensueño, a esas tierras de ultramar, penínsulas de encantamiento, islas rientes y aromadas, tierras de miel y de leche, donde el amor todavía se presenta como en los tiempos felices del mundo, cuando los refinamientos de la cultura no habían prostituido la sagrada pasión, y los códices no habían puesto un valladar entre los sexos. Recordad a Víctor Hugo hablando de Tahití, de esa dulce, tibia y muelle Tahití, cuando los europeos no la habían deshonrado con sus crímenes, sus enfermedades y sus alcoholes; a Mallarmé, harto de bibliotecas y de amores fáciles, sintiendo que le llegaba un soplo de brisa marina, sugiriéndole la visión de una isla remota, perdida en los mares del trópico, coronada de cocoteros y de árboles de pan, en cuya ribera armoniosa canta el agua azul, los mariscos semejan flores vivas y hay grutas de las que salen cascadas diáfanas y dulces. Todos tienden, en ciertos momentos nostálgicos, a esas tierras perdidas en remotas latitudes, donde los árboles crecen monstruosamente, las frutas tienen forma, olor y sabor extraño, los pájaros han salido de un cuento de Mil y una noches, los lagos parecen copas de lapislázuli y los ríos, claros, alegres y armoniosos, reflejan las auroras y los ortos de un cielo joyante, que no ha ennegrecido todavía el homo de las chimeneas.*

Este libro os llevará a uno de los más paradisiacos rincones de la América, donde apenas se inicia la invasión de la horda rubia, ávida de oro y de conquista. Si lo examináis bien, este idilio no se parece en nada al que se desarrolló en Cauca. El poema de Isaacs, oreado por un soplo de la ardiente tristeza del país de las profecías y de los testimonios, como que en las venas del autor corría sangre judaica, tiene mucho de artificio, y aún es dudoso, según he leído en los periódicos hispano-americanos, que sea real del todo. Los amantes se quieren en una hacienda que tiene el más blanco baño de cal, entre azules montañas, floridas hondonadas y bosques sembrados por las habitaciones de los siervos. Hay cacerías de tigres, paseos por las verde sabanas, rústicos diálogos, fuertes emanaciones de las ordeñas matinales, que ponen una nota de égloga, pero de égloga americana, en el magnífico paisaje tropical que os llena las pupilas. La heroína ama castamente, casi infantilmente. El amado parte a Londres, a seguir sus estudios de medicina. Ella, en la ausencia muere de pesar. Recordaréis, en las páginas finales de la novela, la llegada de Efraín por el Mar Caribe, el Mar Indo, como lo llama el poeta. Las ondas adormecidas bajo la luz de una maravillosa puesta de sol; el puerto ardiente, retostado por mediodías llameantes, donde el Administrador, obeso y congestionado como un pavo, convida a comer al joven viajero, entre alegre charla de recuerdos. Bogas que van cantando por el río, bajo los árboles donde cuelgan viscosas culebras; canciones negras de una infinita tristeza; dichas al fulgor de la luna que argenta las aguas gemebundas; Cali, a lo lejos, envuelta en el silencio de la noche. Todo eso lo veréis en el idilio del poeta colombiano; mas, con un poco de comprensión literaria, puede que os choque el lenguaje y hasta la pobreza del estilo, porque el autor de Saulono era prosista, en el verdadero sentido de la palabra. De ningún modo trato de discutir la legítima gloria que le corresponde; pero una parte de ella, en nuestro pensar, consiste en haberse adelantado a los demás, dándole nueva forma a un tema tan gastado, que resultaría vulgar sino tuviera por fondo una naturaleza virgen y exuberante.

El novelista hondureño os colocará en un rincón de nuestro país, que nada tiene que envidiar al más florido rincón del mundo, y desarrollará ante vuestros ojos un idilio, sin ningún recurso de artificio, porque es profundamente verídico. No inventa, narra. Tal vez su prosa no esté a la altura de aquella mediocridad de que se lamenta el poeta de Las Noches, *ni guste a ciertos lectores acostumbrados a la ilusión de las mentiras folletinescas. Turcios, sobre todo, es soberanamente artista, lo cual consiste en darle al símbolo su valor secreto y a la palabra su valor legal. Eso, en cuanto al rebuscador de imágenes y al paciente artífice de rimas.*

219

Respecto al poeta, es decir, respecto al hombre sentimental, de corazón rebosante de ternura, la cuestión varía. Veréis un ser delicadamente tierno, tal como se concibió en el alba de la revolución romántica. Un hombre así está admirablemente preparado para vibrar al influjo de toda clase de emociones. Imagináos un poeta, no precisamente un poeta fabricador de jarabes y de venenos para organismos gastados, sino absolutamente natural, sin que esté destemplada una sola cuerda de la lira de sus nervios. Este hombre, después de largos días y noches de hondo sufrir, escribe con la savia de sus venas o con el licor que brota de sus ojos, toda una serie de terribles meditaciones y sensaciones, por las cuales ha pasado su espíritu inquieto, como un siervo por la sala de tormento de un barón feudal. No narra dolores mentidos, no os engaña, ni engaña a nadie, sino que suelta, con una humildad orgullosa, su narración, vívida y ardiente, tal como un Petronio que se abriese las venas en el agua tibia de su baño. Sus lágrimas, ciertamente no son esas que caen tranquilamente de los párpados, en la hora de las felices remenbranzas, como las lágrimas dulces que derrama Tennyson, evocando melancólicos recuerdos: sus lágrimas son de sangre, y en esa sangre moja la pluma. Hondamente sincero es su llanto y nace de las más herméticas fuentes del corazón. En obras de la naturaleza de la que vais a leer, no se comprende que se escriba de otro modo. El poeta, y cuando digo poeta me refiero al hombre superior, es decir, en su grado máximo de sensibilidad, no quiere quedar bien con sus lectores, no escribe de cara al público, porque éste, en semejantes ocasiones, es del todo indiferente a los dolores personales, que sólo un excelso poeta como Turcios, acostumbrado a la interrogación de esfinges y a los secretos de la mecánica del verso, muestra al público las vergüenzas de su espíritu, no lo hace precisamente para seducirlo, no para enternecerlo, porque eso es completamente secundario para él. Imaginaos un instante a Musset escribiendo Rolla *para entretener a los fumistas de los boulevares de París. Pues sería simplemente ridículo. Jamás pensó el poeta de* El Sauce *en que la dama tal o cual se iba a conmover leyéndolo antes de dormirse, o que iba a entretener sus ocios hojeando sus versos en un vagón de ferrocarril, o en intimidad perfumada de su alcoba. Musset no se imaginó semejante cosa. Producto como era de una civilización decadente y sintiendo en su espíritu el enorme peso de lo infinito, en un momento único de su vida se sacó, como dijo Hipólito Taine, el corazón del pecho, enseñándolo a las multitudes, sangriento y palpitante. Su grito, que escucharán los siglos cuando nadie se acuerde ya de los bárbaros alaridos de Aquiles en las riberas del Escamandro, repercutió y seguirá repercutiendo en los oídos de los hombres, porque fue tan grande, tan doloroso, tan profundamente humano, que nosotros, seres de clima, de raza y de civilización distintas, parece como que de repente lo escuchamos, llenos de sobresalto, entre el alegre rumor del nocturno París. ¡Cuántas veces, vagando sin rumbo fijo en esta ciudad, nos hemos metido por una de esas obscuras callejas, recordando al poeta inmortal que ahora duerme en el Pere Lechaise, a la sobra de un sauce americano, mostrando al sol de otoño su faz triste y la tediosa, cincelada en mármol, de Cristo del Arte y de la Gloria! Las baldosas están desniveladas y lavadas por las lluvias; arriba, en un tercero o cuarto piso, en un balcón carcomido y desquiciado, que injuriaron los duros inviernos parisienses, languidece una maceta de flores. Pasa, en el crepúsculo indeciso, una banda de músicos haraposos y medio borrachos; siluetas de mujeres sospechosas asechan al transeúnte extraviado, le instan con voces que recuerdan la cerveza y el aguardiente de los últimos cafés. Pues bien, de ese balcón miserable, de esa sucia vía, de donde suben malos olores, sale un soplo de ardiente poesía, que recuerda el blondo poeta divino. El vio eso con sus grandes ojos pensativos, él quizás transitó por ese callejón olvidado; él, probablemente, después de pasar una noche insomne al lado de una mujer fácil, se asomó a la ventana, desmelenado, ojeroso y pálido, mientras la amada de una noche dormía sobre los ajados almohadones; y allí, en un momento, harto de carne de alquiler, harto de su siglo, harto de su civilización, harto de la vida y de la naturaleza, concibió, recogiendo en sus versos toda la ventura y toda la desventura de su tiempo, ese poema maravilloso Rolla, que los hombres repetirán eternamente, mientras les quede un poco de sentimiento en el alma. Esa es la gloria, la gloria verdadera, la única gloria literaria; el ser sincero, en un momento dado, sobre todas las cosas, sobre todos los intereses y sobre todos los prejuicios.*

Yo creo a Turcios profundamente sincero, no sólo porque he tenido ocasión de conocerle casi fraternalmente, sino porque cosas como las que él narra no se pueden inventar de ningún modo. Él, como versificador, y que lo es magistral, tanto como en los mejores poetas hispano-americanos, podría recurrir al artificio del verso, presentándonos una deslumbrante pirotecnia de rimas. Puede darnos, en los más difíciles metros, muchos estados del espíritu, estados casi pasajeros, que apenas dejan huellas en el alma de los lectores. Esta cualidad concluye por ser un defecto, porque el poeta nos asombra con las palabras, extrae del idioma toda la esencia sinfónica, nos asombra por el arte y el refinamiento; pero no nos causará una emoción honda, algo así que nos deje meditando, con el corazón herido y las entrañas palpitantes. Para que la emoción resulte de verdad, debe generalizarse. El poeta, si llora, debe hacer llorar a los demás, si ríe, debe hacer reír a las muchedumbres. O para hablar más claramente: debe ser profundamente humano.

Ahora bien. Este libro es profundamente humano, porque ha sido vivido y sentido; no es su autor un actor que recita de memoria un trozo de poesía sentimental, con el oído puesto a la voz del apunte; ni es un cómico que gesticula lloriqueos en el proscenio de un teatro. Él ha gozado y sufrido con lo que va narrando: torturas horribles le han macerado el corazón, y tiene, primero como hombres de letras, y luego como hombre, el derecho a transmitir sus emociones, de narrar sus amores, de enseñar su alma en toda su desnudez, tal como Rousseau tenía en derecho de ser franco hasta la crudeza o Amiel de mostrar los secretos resortes de su espíritu.

No es porque se crea un hombre escogido para predicar un evangelio sentimental, sino porque es una parte de la humanidad que sufre y que goza, un número de la legión de todos los que han estado enfermos de amor, de dolor y de ensueño.

Don raro es éste de poder transmitir, valiéndonos de la pluma, toda la alegría o todo el pesar que llevamos adentro. Porque sueñan, todos han amado, aman o amarán: pero ¡cuán pocos pueden comunicar a los demás esa saudade que llena el espíritu de todos los que están bajo el influjo de las más poderosas y ardientes de las pasiones, sobre todo, cuando el obstáculo, en cualquier forma, se presenta en el camino de la dicha! No tengo la cualidad de la adivinación y, por consiguiente, no sé cuál será el desenlace verdadero de este idilio. Tengo fe, eso sí, en el carácter de Turcios; me parece que, por un acto de retrospección y un anhelo de aventura, ha ido en la carabela de Gama hasta Goa y ha encendido con su hacha una de las naves de Hernando de Cortés; pero me temo que esa misma voluntad enérgica le lleve al triunfo que anhela, y que el desenlace del idilio no sea una historia de llanto, que envuelva en melancolía a las lectoras, sino que se verifique ante el altar incendiando los cirios de un templo, mientras en el aire matinal repican las campanas de oro, y vuelan las palomas, y pían las golondrinas, y se deslíe en el ambiente un aroma de azahares y de rosas blancas. Restamos ahora hablar del medio en que se desarrolla la novela, y del autor. Los curiosos perdonarán si apenas nos ocupamos de la heroína, tanto por un secreto pudor literario, como porque el poeta se encargará de hacernos un retrato definitivo de ella. Sin embargo, haré el esfuerzo de bosquejarla en unas pocas líneas.

¿Habéis evocado una de esas leyendas antiguas, uno de esos romances que tienen sabor de vino añejo y están aromados de un perfume pretérito? Pues ella —Mignon, Ofelia o Margarita— es una niña gentil que pudiera ser una castellana, en la flor de la primavera, asomándose, envuelta en la luz perla de una noche plenilunar, sobre un abismo de fosos. La castellana tiene una magnífica cabellera de oro ahumado, unos ojos inmensos de un primitivo candor, y manos y pies finos, que denuncian un ilustre abolengo. Es cabellera, rica y undosa, bien pudiera flotar bajo los álamos

de un Castillo de ensueño; esos ojos están hechos para contemplar las estrellas o anegarse en la tranquilidad de los azures vespertinos; esas manos pudieran tejer coronas entre los cálices de los jardines feudales; y esos breves pies, dignos de posarse en un zócalo, apenas harían ruido deslizándose sobre las viejas alfombras traídas de los felices pillajes de Oriente. Toda ella respira una atmósfera de virginidad y de inocencia, evoca las expresiones extáticas de los cuadros de Fra Angélico; puede hacer florecer bajo sus ojos los lirios de David y las rosas de María; y decidme si este poeta hispanoamericano, tan sentido en su juventud como el de Dante de la Vita Nouva, *no tuvo razón de enloquecerse, de postrársele de hinojos, de entregarle todo su tesoro de rimas y de sueños, cuando, en un día de amor, en que sentía la presencia de Dios y el poder de la Naturaleza, la vio aparecer en un claro de la Selva Obscura de su vida, cargados los ojos de promesas y los labios de ósculos vírgenes, y lo olvidó todo, lo que amaba y lo que había amado, quedando, desde entonces, como bajo el poder de un divino encantamiento, gozando de una existencia de ensueño, perdido en el jardín del más ardiente de los amores, donde el agua de la fuente es de oro, los pájaros hablan un celeste leguaje, y los árboles susurran melodiosas músicas.*

El medio en que se desarrolla la novela supera a todas las imaginaciones de los poetas del siglo XVIII y XIX. Pensad en el más bello rincón del trópico, en un país de grandes bosques y de ríos rumorosos, de álveos lentejuelados de arenas de oro.

Una primavera, bien distinta de la que conocéis en Europa, reina allí. Las selvas, como salidas de baño matinal, están eternamente frescas, como si el rocío del paraíso cayera sobre las copas de sus árboles. En las grandes pozas de los ríos, entre las grises rocas que se sepultan en sus orillas, rebullen peces iguales a vívidos joyeles; las cascadas, saltando armoniosamente entre los peñascos, ruedan en despeñamientos de ópalos, mientras plantas extrañas, en forma de parásitas o de extravagantes lianas, se inclinan sobre el vértigo como queriendo seguir el curso del proceloso torrente. En los recodos de los caminos, a veces blanco bajo el sol del estío, a veces perdiéndose en las cañadas profundas, a veces trepando y ondulando por las cuestas pedregosas, hay trechos de sombra, machas de verdura, pozos agujereados en la piedra viva, donde el caminante, mientras hace trotar sus recuas, azuzándolas con un látigo o con un grito, sestea un rato, bebe agua en las palmas de las manos, y toma un poco de aliento, para seguir su marcha por las abruptas serranías, bajo los tórridos soles implacables.

Veréis, en cuadros hechos con pincel único, las haciendas patriarcales alzándose en las inmensas llanadas, donde mugen, a la hora religiosa del crepúsculo, las numerosas vacadas; lunas llenas, plenilunios en los que no ha soñado un astrónomo de Capri o de Greenwich; lunas llenas infinitamente crecidas, infinitamente tristes, infinitamente pálidas, como si fueran visionarios discos de plata o grandes manchas rielantes de azogue, iluminan paisajes extraños, aglomeraciones de montañas, colinas graciosamente agrestes, prados y sotos, en cuyos céspedes, ricos en orozús y en briznas jugosas, triscan los ciervos monteses, que bajan maliciosamente de las espesuras a los verdes frijolares, o saltan los tímidos conejos que, a la hora matutina, o en una dulce puesta de sol, escapan rápidamente entre las altas yerbas, mientras de lejos los perros campesinos, presintiendo

226

la presa, ladran ruidosamente al viento o tratan de saltar sobre las cercas. Del fondo de los bosques os viene un aroma de colmenas, con un amoroso arrullo de palomas rústicas; palomas azules, de ojos de topacio, con gorgueras cenicientas; palomas que tienen alas de golondrina, para volar fugitivamente sobre los campos o buscar el amparo de las ramas frondosas, y palomas diminutas que, a lo mejor, al paso de las caballerías o del cazador furtivo, vuelan en bandadas armoniosamente de los rastrojos, ganan las inabordables espesuras de púas. En esos bosques las víboras parecen joyas, tan encendidos y esmaltados son sus colores; las lianas se entremezclan como hebras de magníficas cabelleras; los árboles centenarios, robles y encimas, dejan colgar de sus ramas las parásitas, que semejan las barbas de un rostro homérico; barbas grises de Alcides o Agamenones; pájaros donde riman los siete colores del iris; pájaros de todas formas, de todos tamaños, azules unos como el zafiro, rojos otros como el rubí, verdes otros como la esmeralda, amarillos otros como el topacio, negros otros como el ónix, os saludan con una armoniosa algarabía, pueblan las copas de los árboles, saltan en veredas y en los caminos, huyen ante los ojos del viajero fatigado. Una atmósfera cálida, semejante a una gigantesca y fina red de oro, envuelve ese paisaje de montes, llanos y ríos. En el fondo de las selvas intrincadas, los palmirales alzan a las nubes su follaje de oriflamas y abanicos, entre los cuales resaltan racimos de nueces: nueces grandes y cabelludas que encierran una pulpa sustanciosa y un licor semejante a la leche de Juno; nueces más pequeñas encerradas en una sólida y dorada corteza; nueces extrañas, recalentadas por los eternos mediodías, que producen raros aceites, propios para la cabellera de las

227

razas cafres. Son los cocoteros, los coyolares, los corozales, toda esa flora de tierra caliente, de que apenas se tiene una idea en Europa flora esencialmente de aquel divino rincón de América. A veces, en uno de los claros del bosque, unos cuantos árboles están tendidos en el suelo con una incisión hecha por el hacha de los campesinos. Brota de la herida un vino generoso, una champaña natural, que todavía no ha calentado las venas de los europeos. En esa tierra de bendición todo está como salido de las manos del Creador; los caminos, de una rusticidad primitiva, concluyen a la orilla de los torrentes y de las quebradas; el agua de los manantiales de las montañas no se ha envilecido en los tubos de hierro de las cañerías; las cascadas espumantes no dan su fuerza a las máquinas de las fábricas, apenas de trecho en trecho, la tierra ha sido roturada; un ambiente patriarcal envuelve las haciendas y los predios; las llanuras apenas han sido divididas por las cercas; los rincones de idilio no han sido vedados del todo por la rapacidad y la soberbia de los terratenientes; el pobre campesino puede alzar libremente su choza en la ladera del monte, y no hay quien no tenga una piedra donde reclinar su cabeza, ni una vaca que ir a buscar a la hora del crepúsculo.

Tal es el medio en que este poeta, tan profundamente refinado y tan profundamente primitivo a la vez, desarrolla su idilio, claro y dulce como un manantial, grato como un vaso matinal de leche y refrigerante como un baño a la sombra de los copados árboles de un río. No lo concibáis fuera de allí, porque no tendría razón de ser en otra parte. Es necesario esa naturaleza, esos bosques, esos ríos, esos soles y esas lunas, esa vieja Juticalpa dormida bajo un siglo de aguaceros; todo ese medio, en fin, singular y primitivo, ingenuo y dulce, para comprender esta amable novela, tan intensamente real, tan hondamente sentida, escrita con gotas de llanto y gotas de sangre, a través de los mares procelosos y de las ciudades de la envejecida Europa.

Sólo allí, en ese lugar edénico, puede concebirse y verificarse semejante idilio. Ni Saint-Pierre, ni Chateaubriand, ni Lamartine, han tenido un fondo de naturaleza semejante, digno de la historia de amor, nacida y desarrollada en el período crítico de la sensibilidad y de la juventud del autor. Momento que lo ha puesto en él todo el enorme caudal de ternura que contiene su espíritu. Reconozcámosle la dicha de haber guardado, casi prístinas, es decir, casi puras, las fuentes del amor, desgraciadamente segadas y envenenadas, como por las fauces de las bestias antiguas, por las tenebrosas filosofías de este siglo.

Algo tengo que decir sobre el autor: Turcios es un emotivo. Las sensaciones llegan a él del medio a su personalidad. Por eso ha de sorprender la exactitud de los paisajes y la veracidad de las escenas que pinta. No es simplemente un pintor descriptivo o un paisajista como Coró. Su imaginación, demasiado potente, como que es imaginación de hombre del trópico, le llevará a presentaros una naturaleza tan visible y vigorosa, como no se sospecha en los paisajistas del símbolo pictórico, cuyos lienzos se esfuman en una atmósfera de ensueño. La naturaleza de Turcios será para vuestros ojos, real y palpitante de veras, como que es un producto de una clara visión de sus retinas. Enormes manchas verdes, bloques de granito perdiéndose en los extraños follajes, caudalosos ríos ondulando entre murallas de basalto. Caminos que se pierden en el fondo de los follajes o se detienen a las orillas de los abrevaderos; pasos peligrosos donde las ondas se

229

encrespan y se arremolinan sobre los copantes; vegetaciones mórbidas a la orilla de las ciénagas; tientes veredas, apenas perceptibles entre los espesos céspedes o internándose bajo el palio que forman los gigantescos árboles; laderas que va tiñendo de violeta el crepúsculo vespertino o que fingen pieles de tigre al ser heridas por el sol matinal; pinos y robes, alzándose entre grises peñascos, donde canta el viento su canción salvaje y se sestea en las interminables jornadas, alrededor del almuerzo rústico; la choza amiga, envuelta en las luces de la tarde, donde la campesina os sale a recibir, acallando el grito de los hostiles perros; cañaverales y platanares maizales ondeando, cercas desportilladas por los toros cimarrones, potros corriendo en las llanuras; noches de largo soñar, pláticas a las estrellas, despertares para emprender otra vez las jornadas, todo oreado por un potente soplo de amor, de poesía y de juventud: tal es la naturaleza de Turcios.

Por esos caminos ha cruzado él en el alba de su querer; a la sombra de esos pinos, armoniosos y frescos como el de Heine, ha descansado junto a la mujer querida; en el blanco césped, aromado por las yerbas desconocidas, reposó muchas veces, siguiendo con los ojos al trashumante campesino que, con su morral a cuestas, silbaba por el camino caldeado, un aire familiar. Se ha embriagado de soles y montañas, de cielos y de perfumes salvajes. Ha yantado el horizonte al galope de su caballo. Hay que seguirle en esos momentos de placer puro, de expansión del espíritu, de gozoso viajar en compañía de la mujer amada. Esta, ciertamente, disfruta de la más bella juventud, tiene los más floridos años, y en los hoyuelos de sus mejillas sonríen las gracias. Él, en cambio, es un hombre de un siglo aparte. Refinado por la civilización, *saciándose en las más amargas ondas de la literatura y filosofía, harto de alegrías única, debe haber meditado en que vale más un sorbo del licor del amor que todas las fuentes de las sabidurías antiguas y contemporáneas, y en que una rosa seca esconde más enseñanza que un libro, y en que en amar de veras está todo el secreto del ser feliz un momento en la vida.*

El poeta, para terminar, es de mediana estatura, la piel color morena, sin tender a obscura, como la de los moros de Generalife; ágil, con cierta agilidad felina; de miembros perfectamente proporcionados; la cabeza altiva sacude una profusa cabellera castaña; la frente cóncava se hunde bajo los rizos delanteros, denunciando un alero propicio para todas las aves del pensamiento; los ojos, de color castaño, se hunden en las lejanías del sueño o se arropan en la bruma de la meditación inferior; nariz firme y pequeña, que daría la clave de un temperamento antisexual si los labios amorosos no denunciaran lo contrario; breve de cintura, inquieto en el andar, manos y pies pequeños, maneras violentas o suaves, según las circunstancias: tal es el hombre. Sus aficiones literarias son escogidas; ama los libros bien escritos, las rimas bien hechas y los lances de epílogo trágico. Como todo imaginativo, goza del esplendor de los pasados gloriosos y saborea las dichas de un porvenir más equilibrado y más noble. Quizá su existencia hubiera sido más feliz en un mundo más aromático y superior; pero, a falta de éste, él trata de hacerse uno a su manera, labrándose, poco a poco, en las azules planicies de su espíritu, un palacio de fe, de amor y de ensueño.

Refiriéndonos al artista, a veces os extrañará el modo de describir ciertos paisajes, porque tienen su visión especial, como aquel que tienen una personalidad literaria propia. Tal vez los ríos que haga ondular ante nuestros ojos, os asombren con su caudal de aguas y sus crecientes rumores; tal vez sus selvas serán más vastas, sus llanos más inmensos y la cresta de sus montes más atrevida; pero él, en verdad, no os quiere engañar: es que siente más intensamente su naturaleza; que, para colocar en ella a su amada, aumenta la sublimidad del cuadro, hace más intensos los colores, le da más potentes relieves a la perspectiva. Como en el cuento antiguo, tiene en sus manos, ríos, cordilleras, prados, sotos y colinas, que va envolviendo con la magia de su estilo y el poder evocador de su palabra. En este fondo de edén su amada será un ave del paraíso, que entonará la primera canción de amor en el amanecer de su vida, posada en una rama del árbol del bien y del mal, reflejándose en el fondo de uno de los cuatro manantiales sagrados.

Tal libro, sentido frente a una naturaleza joven, ingenua y fragante, tiene que llevar un dulce soplo de poesía, aunque algo dolorosa, sobre todos los espíritus sedientos de ideal. En medio de esta época de guarismos, de miserias y de apetitos bestiales, este libro será como una lluvia fresca sobre un campo de estío. O como un vaso de leche alargado desde el fondo de una choza a las fauces de un mendigo hambriento. O como la vista de un campo florido, de un bosque verde y de un trozo de cielo, después de estar un año en el fondo de una ergástula. Porque él contiene mucho de esa terminada, de ese ideal y de ese amor que empiezan a desaparecer en el mundo. Escrito con sangre está, y la sangre es espíritu, según dijo Nietzche. Escrito con sangre y con lágrimas. Merece un puesto de preferencia en la biblioteca sentimental de nuestro corazón.

CUARTA PARTE

Del ancho mar sonoro fui pez en los cristales,
que tuve los reflejos de gemas y metales.
Por eso amo la espuma, los agrios peñascales,
las brisas salitrosas, los vívidos corales.

Después, aleve víbora de tintes caprichosos,
magnéticas pupilas, colmillos venenosos.
Por eso amo las ciénagas, los parajes umbrosos,
los húmedos crepúsculos, los bosques calurosos.

Pájaro fui en seguida en un vergel salvaje,
que tuve todo el iris pintado en el plumaje.
Amo flores y nidos, el frescor del ramaje,
los extraños insectos, lo verde del paisaje.

Tornéme luego en águila de porte audaz y fiero,
tuve alas poderosas, garras de fino acero.
Por eso amo la nube, el alto pico austero,
el espacio sin límites, el aire vocinglero.

Después, león bravío de profusa melena,
de tronco ágil y fuerte y mirada serena.
Por eso amo los montes donde su pecho truena,
las estepas asiáticas, los desiertos de arena.

Hoy (convertido en hombre por órdenes obscuras),
siento en mi ser los gérmenes de existencias futuras.
Vidas que han de encumbrarse a mayores alturas
o que han de convertirse en génesis impuras.

¿A qué lejana estrella voy a tender el vuelo,
cuando se llegue la hora de buscar otro cielo?
¿A qué astro de ventura o planeta de duelo,
irá a posarse mi alma cuando deje este suelo?

¿O descendiendo en breve (por secretas razones),
de la terrestre vida todos los escalones,
aguardaré, en el limbo de largas gestaciones,
el sagrado momento de nuevas ascensiones?

(Metempsícosis)

39

El retorno

Cuando volvimos a Tegucigalpa una tarde de noviembre de 1906, un sol radiante brillaba sobre las calles, un viento fresco soplaba desde la cresta verde de El Picacho, y el río limpiaba de pesares las arterias del distrito. La guerra estaba en boca de todos. Era una efervescencia macabra. Los niños jugaban a ser soldados que mataban nicaragüenses. Los adultos reían en las esquinas y hacían burla de la supuesta indisciplina de las tropas de Santos Zelaya: «Será una guerra fácil —decían—, será una victoria segura».

El gobierno del general Bonilla nos puso a trabajar de inmediato. Turcios y Molina escribieron los artículos más incendiarios que recuerdo, invitándonos a la guerra, como quien nos invita a un paseo dominical. Exaltaban esos ánimos patrióticos a los que ahora temo: la patria pide la sangre de tus hijos, y debes darlos en sacrificio para mantener el orden de las cosas.

Cumplí varias misiones del ministerio de gobernación, preparando las provisiones para los que irían al combate. A mediados de diciembre volví a ver a Juan Ramón. Usaba nuevamente el uniforme de coronel que tan bien le tallaba. Parecía renovado, con una vitalidad que solo le había visto en los meses previos a la victoria del general Terencio Sierra en las elecciones de 1898. Caminamos por la plaza frente a la iglesia de Los Dolores. Hablamos de nuestro regreso a Tegucigalpa después de seis meses de ausencia, de los proyectos que él dijo arrancaría en el país al nomás pisar tierra firme —y no arrancó, porque la vida siempre se le adelantaba— y de la guerra; hablamos mucho de la guerra.

Yo le reclamé por sus artículos en los diarios del país, le dije que estaba dejándose llevar por las apariencias y que, no porque todos estuviéramos repitiendo la misma mentira, nos diera la razón. Él me escuchó de una manera atenta, sin interrumpirme, viendo las palomas revolotear en la plaza.

—Usted se equivoca si cree que puede escapar de la guerra —me dijo, rasgando con la uña la superficie de un bastón de madera que cargaba consigo—. La guerra es como un maremoto, sin importar cuánto corrás, siempre te alcanzará. Ni siquiera los generales y presidentes, que creen tener tanto poder, pueden escapar de ella. Es como una partida de dados que lanzó quién sabe quién hace ya mucho tiempo, y solo nos queda tener suerte y sobrevivir.

—¿Usted está esperando tener suerte en la jugada? —quise saber.

—Claro que sí —dijo, y luego enfatizó sus palabras señalando con el dedo índice algún punto imaginario en la plaza—. Mire, junto a las tropas de Zelaya viene el mequetrefe ese de Sierra, espero que la providencia me dé el placer de orinarme en la tumba de ese mal parido. Si ellos ganan y derrocan a Bonilla, ¿quién cree que quedará de presidente?, ¡pues el Tamagás de Coray!, ¡es el más fiel lacayo de Santos Zelaya! Lo mejor que puedo hacer yo, es poner todos mis buenos oficios para que ganemos esta guerra, mi suerte está echada en esto…

La madrugada del 23 de diciembre de 1906, partió de Tegucigalpa, con rumbo a la frontera con Nicaragua y al mando de una columna de jóvenes voluntarios, el doctor Dionisio Gutiérrez, uno de los caudillos hondureños más importantes. Hombre serio y respetado por todos, siempre tenía algo que decir y siempre se le escuchaba.

Poco a poco habían ido desapareciendo los jóvenes de Tegucigalpa. Salían por la noche de dos en dos, y todos sabíamos que iban a sumarse a la revolución. El general Bonilla, que desconfiaba del doctor Gutiérrez por su abierta oposición al gobierno, había ordenado un cerco estrecho contra el conspirador. Colocó hombres frente a su puerta y mandó le dieran seguimiento constante: día y noche. En su escritorio recibía los reportes de los movimientos de Gutiérrez, que no eran más que acciones aburridas y nada comprometedoras —según decían los reportes—. Su sorpresa llegó cuando se enteró de la fuga de Gutiérrez que, para mayor burla, había hecho con ayuda de los soldados que lo custodiaban.

Pasé la víspera de Noche Buena supervisando la preparación de las tropas que partirían a la frontera —bajo la comandancia de Sotero Barahona— para dar caza al doctor Gutiérrez. Era una horda de indios indisciplinados y mal equipados, reclutados por la fuerza en el occidente del país, y que solo esperaban la oportunidad para desertar y volver a sus pueblos.

Yo quería escuchar la opinión del doctor Barahona sobre la guerra. No le había visto desde que el telegrama de Nueva York le ordenara su regreso a Tegucigalpa. Me parecía cansado, más viejo.

Me saludó con gran cortesía, como siempre, pero sentí cierta desconfianza en sus palabras.

—La cosa va mal —me dijo, viendo sobre mi hombro, como buscando reconocer si alguien le espiaba—. Si quiere le cuento, pero no aquí, acá no es seguro.

Barahona me llevó a un pequeño bar cerca de la cuesta de El Olvido. Era un lugar oscuro y fresco, con piso de tierra limpio y seco. Una puerta daba al patio, donde un pequeño barril de madera recogía el agua de la lluvia y un gallo correteaba a un grupo de gallinas que rasgaban el suelo.

—Cuando me vine de Nueva York lo hice con el fin de representar al gobierno del general Bonilla en las conversaciones de paz que se llevaban a bordo del *Marblehead* —comentó el doctor Barahona, viendo la superficie de la mesa de madera carcomida—. De la frontera con México y El Salvador se invadió el territorio guatemalteco con el objetivo de iniciar una revolución contra del gobierno de Manuel Estrada Cabrera. La revolución fracasó, pero creó cierta tensión en el istmo, por lo que se hicieron necesarios los buenos oficios de Theodore Roosevelt y Porfirio Díaz. La paz finalmente se firmó en septiembre, en San José. Todos la celebramos, aunque a nosotros nos dejó una situación delicada.

El doctor Barahona se levantó de la mesa y revisó la entrada del bar, asegurándose de no tener a nadie al otro lado de la puerta. Luego pidió dos copas más del vino barato que vendían, y dio una generosa propina a una muchacha trigueña que nos atendía, indicándole, con la mano, que nos dejara solos.

—Desde que salió del país el doctor Policarpo Bonilla, ha estado buscando ayuda en los países vecinos para organizar su ejército y derrocar al gobierno de Honduras.

—Era de suponerse —dije—. Imagino que lo mismo hace Arias. Después de lo que pasó en 1904 no podíamos esperar nada distinto. Y todos aseguran que lo mismo hace Terencio Sierra.

—Así es. Y Navarro, y Gutiérrez, y Carías. No lograron mucho con El Salvador, donde luego del Tratado de Paz de septiembre, parece existir un auténtico interés por establecer relaciones respetuosas con nuestro país.

—Pero sí en Nicaragua.

—Aunque Santos Zelaya no confía para nada en don Policarpo, sí lo está usando. Usted ya conoce a Zelaya, un ególatra como él no podrá descansar hasta lograr una revolución en toda la región centroamericana. Una revolución que le coloque a él a la altura de Morazán o Bolívar y haga que nuestros nietos le canten himnos y los poetas le escriban odas melosas. Él sabe que Honduras no representa peligro para su proyecto. Nuestras divisiones y nuestra propia mediocridad en la administración nos impide ser un contrincante para tomar en serio por cualquier ejército. Pero no es lo mismo con Guatemala, donde otro demonio de igual calaña gobierna esa tierra. Estos dos hombres —Estrada Cabrera y Santos Zelaya— se han jurado acabar el uno con el otro y nosotros estamos en medio.

—¿Entonces las tropas que entraron a Guatemala por México sí estaban apoyadas por Santos Zelaya?

—Así es y Estrada Cabrera lo sabe, como lo sabe Roosevelt y Porfirio Díaz. Desafortunadamente para nosotros, ese intento fracasó y ahora le toca el movimiento de tablero a Estrada Cabrera. Santos Zelaya no quiso firmar el acuerdo de paz en Costa Rica porque comprende que ese serviría para justificar una agresión regional en su contra. Ahora está diciendo que el acuerdo se hizo con el propósito de aliar a Honduras con Guatemala y poder así atacarle.

—¿Existe alguna alianza con Guatemala, doctor?

—No formalmente, pero sí. Aunque más firme es la alianza con El Salvador, que nos asegura enviará tropas en caso de guerra. La cosa es que, desde el golpe de Estado de 1904, nuestras fuerzas se han debilitado. El gobierno de Bonilla no cuenta con la legitimidad necesaria para movilizar a los comandantes de armas, ni con el dinero para pagarlos.

—¿Y los artículos de Turcios y Molina en lo que dicen que derrotaremos a Zelaya?, ¿qué piensa de eso?

—Propaganda de guerra, mi amigo. Pura propaganda. No puedo pensar que ellos realmente se crean todo eso que escriben. Vea a don Dionicio Gutiérrez. ¿Usted cree que si don Manuel Bonilla tuviese la fuerza que Turcios dice que tiene, no habría arrestado hace tiempo a Gutiérrez? ¡Le habría fusilado en el acto! Todos vimos cómo conspiraba abiertamente contra el gobierno, todos sabíamos que era cuestión de tiempo para verlo partir rumbo a la montaña a iniciar otra montonera. ¿Y qué hizo Bonilla? Poner a los hombres de Christmas a cuidarlo día y noche. ¡Ahora se fue con esos mismos hombres como sus lugartenientes!

—Y usted le va a dar caza —comenté, con tono resignado.

—Deséeme suerte, mi amigo —dijo, empujando el último trago de vino.

Pude ver su garganta subir y bajar mientras tragaba el líquido. Luego se despidió de mí, extendiendo su apretón de manos, como quien conoce que su destino es la muerte. Cuando salió del pequeño bar, la chica morena entró por la puerta del patio. Llevaba en su mano una paila con vasos. Iba cantando un estribillo meloso muy de moda en ese tiempo: «Marrieta no seas coqueta/ porque los hombres son muy malos/ prometen muchos regalos y lo que dan son puro palos».

No volví a ver al doctor Barahona. Cayó en combate en la desastrosa campaña de El Paraíso, cuando el general Bonilla ya había abandonado al resto de su ejército y partió al exilio rumbo a Nuevo Orleans, dejando atrás los rifles, el parque de artillería e infantería, la ambulancia de guerra, los instrumentos de la Banda Marcial, los archivos militares, su bastón y su gorro de dormir.

40

La guerra contra Nicaragua fue corta, vergonzosamente corta. Las tropas de Barahona que combatían en El Paraíso desertaron y dejaron al doctor con un pequeño número de hombres que nada pudieron hacer contra el recién ascendido general Tiburcio Carías Andino, quien creció como un Julio César bananero, le enfrentó a la altura de Maraita, rebanando la cabeza —a punta de machete— de cuanto hombre encontraba, incluyendo la cabeza del propio doctor Barahona.

Las tropas que el general Bonilla movilizó a El Corpus y Namasigüe no pudieron hacer nada contra las metralletas y la notable superioridad de las tropas comandabas por Terencio Sierra y el general nicaragüense Aurelio Estrada.

Los salvadoreños con lo que contaba el general para cambiar la balanza de la guerra, dieron la vuelta y lo dejaron solo. Buscando ganar tiempo, Bonilla instaló su gobierno en Amapala, esperando recibir algún tipo de ayuda de Guatemala. Finalmente se rindió, cuando comprendió que no quedaba nada.

En el Norte, lejos de la ciudad capital, entre matas de guineo y mosquitos de malaria, las tropas del general nicaragüense Juan José Estrada, junto a los hombres de Luis Isaula, conquistaron con suma facilidad la costa del Caribe, desde Trujillo hasta La Ceiba, desde Tela y Puerto Cortés hasta San Pedro Sula.

Policarpo Bonilla, uno de los principales conspiradores de la revolución, nunca logró ponerse al frente de su ejército.

Fue arrestado en El Salvador como parte de un acuerdo entre el gobierno de ese país y Nicaragua.

Terencio Sierra tampoco llegó a ser presidente. Al ganar la guerra se vio solo, antes incluso de llegar a Tegucigalpa. Reclamó la presidencia, pataleó, maldijo, amenazó de la forma más vulgar —como solía hacerlo cuando caía en una rabieta—, exigió que se cumpliera el acuerdo secreto firmado entre todos los generales alzados y los gobiernos de El Salvador y Nicaragua (en el cual él quedaría con la presidencia), pero nadie lo apoyó. Triste y vacío, tomó sus cosas y se dedicó a morir en su hacienda de Nicaragua.

Al ser derrocado el general Manuel Bonilla, el ejército ganador izó el pabellón de Nicaragua frente a las oficinas del Ejecutivo en Tegucigalpa, un 25 de marzo de 1907. La administración completa del general Bonilla —ministros, viceministros, coroneles, generales, diputados, directores, comandantes de armas, gendarmes y asesinos a sueldo— estaba de camino al exilio en las vecinas repúblicas de El Salvador y Guatemala. Fue entonces cuando general Bonilla partió en un vapor rumbo a New Orleans, lamentando quizás no poder ser Porfirio Díaz o Estrada Cabrera.

También el poeta comprendió que no tenía más opción que abandonar el país. Las personas que conocían a Molina sabían de su conflicto con el Tamagás de Coray —quien supuestamente venía desde el Sur colgando manuelistas—. Como no tenía dinero ni amigos que le protegieran, el poeta armó su equipaje y partió al exilio.

Solo tenía un lugar a donde ir. Sus artículos que tanto aplaudimos contra la brutal dictadura de Manuel Estrada Cabrera, le habían cerrado la frontera de Guatemala, y sabiendo que el camino a Nicaragua estaba vedado por razones obvias, no tuvo más opción que marchar a San Salvador.

Algunos exiliados volvieron a Honduras un par de años después, como Christmas o Turcios o el propio general Bonilla, quien cumplió su promesa y retornó a la presidencia, luego de otra revolución. Esta vez, sólo se iría del poder con la muerte, cuando ésta lo sorprendió en 1911. Otros, como Molina, no volverían a ver la cresta azul de los cerros de Tegucigalpa.

41

Querido Froylán.
Recibí ayer tu cariñosa carta del 26 del mes corriente.
Muy equivocado estás si crees que ha disminuido mi afecto por tí, fundándote en la lectura de una de mis cartas, que tal vez la escribí bajo el influjo de alguna mala impresión, en horas de tedio, ya que la encontraste tan seca y lacónica. No, no disminuye, ni disminuirá. Es bueno que sepas ahora que estás lejos, que te quiero, no como amigo, sino como hermano, como hermano de veras; hermano por la lira, por el arte, por el corazón y hasta por la miserable gloria que hemos conquistado a la par. Si alguna vez nos hemos visto mal, por esa equivocación inherente a la naturaleza humana, cuando nuestro deber era juntarnos para ser más fuertes y salir victoriosos, ya que poseemos el mismo don de dolor, idéntica visión de arte y un talento igual, aquellas pequeñeces han sido olvidadas para siempre, cediendo el lugar a un cariño que sólo matará la muerte.

No me hagas, pues, la ofensa de pensar siquiera que yo me expreso mal de tí, porque nunca, óyelo bien, lo he hecho, ni privada, ni públicamente. Y menos, mucho menos lo haría ahora. Si algo te cuentan, es una invención infame, muy común en nuestros compatriotas.

Tal vez antes no tuvimos del todo buenas relaciones, a causa de haber creído, en muy mala hora por cierto, que el uno podía estorbar al otro, en la admiración de aquellos imbéciles de Tegucigalpa. Hombres maduros ya, golpeados por la vida, desgraciados, por diferentes motivos, aunque ambos víctimas de cierta providencia fatal, que persigue a las almas de selección, de un modo o de otro, hemos comprendido por fin —como lo comprendió tu hermana a nuestro regreso de Río, con su perspicacia femenina— que solos mitades de una sola entidad, que el uno completa al otro, que nuestros nombres vivirán unidos y que resumimos una época literaria de nuestra patria, nada menos que los últimos cincuenta años. Recuerdo que una vez, moribundo de alcoholismo, escribí una carta, que nunca conociste, nombrándote testamentario de mis producciones. Esto te demostrará que siempre te he querido.

Croe que lo de Ricardo eran bromas, porque anoche vino a mi cuarto, gordo de partirlo con una uña y, al contable el lío en que me ha metido, soltó aquella risa de yegüería que conocés. Por consiguiente, no hay que insistir más en este asunto.

Mucho te agradezco que me quieras a la cabrita y me hables bien de ella. Como no pudimos casarnos este mes, por falta de comunicaciones —hay carta que ha llegado a Honduras en cinco meses— lo haremos, primero Dios, en los tres meses del año entrante. Hoy le escribí, transcribiéndole el párrafo que le dedicas, lo que le contentará mucho.

Como en Guatemala no se conoce muchas de mis poesías, te ruego insertar, en tu periódico o en El Diario, *«Una muerta», que te incluyo. Te agradeceré que, al salir, le pusieras algunos párrafos explicativos, ya que conoces bien todo el origen de ese poema.*

Mandame un clisé tuyo para El Diario de El Salvador. *Yo escribiré el artículo . Dime que le pareció a Contreras lo que dije de su libro. Carlota ha estado dando fiestas, y ya ves que no me quejo, a pesar de lo que dijo Mano.*

Tuyo, Juan Ramón Molina,
Pronto te enviaré trabajos inéditos.

42

Apuntes para una carta, según testigos,
para la segunda esposa de Molina: Otilia Matamoros.

Íbamos hundiéndonos en la verdura del bosque, poco a poco aspirando con delicia las capitosas emanaciones vegetales. El sol, en pleno cénit, llameaba como una hoguera, transformando el cielo en una lámina de hierro candente.

De pronto —al pie de un árbol corpulento— vimos ondular como un látigo una vívora obscura manchada de gris, en la casi imperceptible agitación de las hojas secas. Y luego llegó una serpiente amarilla, salpicada de un verde pálido. Eran dos pequeñas tamagases, salidos tal vez del próximo pantano, en un brillo viscoso, que aumentaba el aire de luz colocándose entre las hojas.

Y las dos vívoras atrayéndose en la hora estival se encontraron, se reconocieron, y lenta, suavemente, entrelazáronse en amorosa trensa, tal como se ve en el caduceo de Mercurio. Después quedaron inmóviles, en la quietud del sagrado momento... En la paz del bosque lleno de sol, las vívoras dormían dulcemente...

Entonces, uno de nosotros cortó una vara de un árbol, y, traidoramente, medrosamente, se acercó a turbar el idilio de los reptiles, descargándose un golpe súbito. Y luego otro, y cinco, y diez más, hasta dejarlos muertos sobre su tálamo de hojas secas, donde el amor, la ley suprema y mortal, los había desposado.

Y, cuando nos íbamos por entre la verdura del bosque, pensé en que se había cometido el más injusto de los crímenes.

43

Pasé más de un año sin saber de Juan Ramón. Estuve ocupado en habituarme al exilio, y con la preocupación por los dos atentados contra del presidente Estrada Cabrera. Después de ellos, los extranjeros fuimos sometidos a un estricto escrutinio, buscando vínculos con los conspiradores de las academias de oficiales.

Varias veces le escribí, invitándole a vivir con nosotros en Guatemala, pero nunca recibí respuesta de su parte.

—Como está la situación política en el país, y conociendo a Molina, no me extrañaría que rápidamente se metiera en problemas con el tirano que gobierna estas tierras —me dijo Rafael Arévalo Martínez, amigo muy querido—. Es mejor así, déjelo, que acá le va a ir peor.

Pero yo seguí escribiéndole, invitándole a llegar a Guatemala y ofreciéndole interceder con los funcionarios que conocía en el país para que le dejaran entrar. En el fondo todos sabíamos que Molina, aislado de su natal Comayagüela, moriría de mucepo.

Por amigos mutuos me enteré que había conseguido trabajo en un diario local, propiedad del señor Julián López Pineda, pero el diario sucumbió por presiones políticas. Después supe que, por su labor intermitente, fue despedido de otro periódico para el que escribía, y que rechazó cuanta oferta le llegó del Ministerio de Instrucción Pública para enseñar en la Escuela Normal de Señoritas.

—En aquellos días —contó años después el doctor Julián Pineda—, Molina se presentaba casi todas las noches a mi casa de habitación, a hora muy altas. Me despertaba para que charláramos un rato, porque él no podía dormir. Me pedía cigarrillos y velas para leer. Se quedaba conversando un rato y luego se iba, siempre con una profunda melancolía. Estaba en una terrible pobreza. Le cobraban el alquiler de la casa, le cobraban la mesa, y él no tenía esperanzas de pagar. Pronto no tendría dónde vivir ni dónde comer. Eso le torturaba horriblemente, y no quería que su compañera se enterara de su apremiante situación. Alarmado por esa situación, Turcios decidió visitarle en agosto de ese 1908. Al volver, traía los presagios más oscuros sobre el futuro del poeta.

—No me gusta verlo así —me dijo—, apenas tiene para vivir, no come y paga el alquiler con el poco dinero que los amigos le regalan, es incapaz de mantener un trabajo y se mete a peleas constantemente. Sufre, sufre tanto que me sorprende no se haya quitado aún la vida. ¿Sabe usted lo que me ha pedido el poeta? Quiere que adopte a sus hijas. Me pide que las cuide como si fueran mías. Sé muy bien que mi hermana podría ayudarme en esa empresa, pero adoptar a las niñas, tres de un solo, es complicado. Veré qué puedo hacer, a lo mejor podemos recibir a Ofelia…

En octubre recibí un escueto telegrama pidiéndome que le visitara. Sin dudarlo arreglé el permiso en mi trabajo y partí rumbo a San Salvador. Al verlo casi lloro. Lejos estaba ya el esplendor del bello Molina, su porte griego y sus ojos brillantes. Ahora era una sombra. Su cuerpo envejecido emulaba a los ancianos pordioseros que pululaban por todas partes. Tenía los miembros inusualmente delgados y los dientes amarillos. Los pómulos de sus mejillas resaltaban como *la calavera de un loco*, los ojos hundidos y tristes. Lo único que aún conservaba era su majestuoso bigote. Me abrazó, como si abraza a un hermano en el umbral de la muerte.

Cuando recuerdo esa visita siento que se me parte el corazón. Debí hacer más para convencerlo de volver conmigo a Guatemala. Debí hacer algo para sacarlo de aquel vicio que lo estaba matando.

—La lluvia en San Salvador es distinta de la lluvia en Tegucigalpa —me dijo Molina mientras caminábamos por una avenida de la ciudad—. Acá la lluvia cae como música wagneriana sobre las tejas, allá suena como el bramido ronco de un perro.

—¿Qué haces acá poeta? —pregunté—. Venite conmigo a Guatemala. La situación en el país pronto cambiará y podremos volver a casa.

—¿A casa? Yo ya no tengo casa, desde hace mucho tiempo que vivo en la intemperie.

—Supe que te casaste.

—Me casé, sí, por poder, con una Otilia Matamoros. Luis Andrés Zúniga hizo el favor de representarme en la boda.

—¿Y se vendrá ella?

—¿Venir a dónde, a vivir así, conmigo? Podríamos dormir en la calle, o bajo un puente de madera. Conozco unas cuevas cerca del volcán que nos podría dar cobijo. No. Le dije que no viniera.

Una hermosa joven de negro pasó frente a nosotros. Alzó con gracias sus enaguas dejando ver sus botines. Luego saltó sobre un pequeño charco. Yo la seguí con la vista hasta que se perdió en la esquina. El poeta se quedó prendido en el reflejo del cielo sobre el agua.

—El hombre, para alcanzar la felicidad, necesita conservar prístino el manantial del espíritu —dijo.

—¿Cómo se hace eso?

—Yo he dado todo de mí. He dado lo que soy, mis ideas y mis sueños. Una flor no puede dar sino su perfume. Yo, que tuve perfume, no tengo ahora más que el hediondo aroma de las alcantarillas.

—¿Y son malas las alcantarillas?

—No. Todas las cosas son puras —replicó— sólo el hombre repudia el aroma de las alcantarillas, porque sólo el hombre se repudia a sí mismo. No puedo irme con usted, amigo. En Guatemala tendría que tarifar mi consciencia al mequetrefe ese, y mi consciencia es lo único que aún conservo.

—¿A dónde vamos ahora? —le pregunté, al ver que nos conducía en un carro afuera de la ciudad.

—A mi cielo. Todos tenemos el deber de construirnos nuestro propio cielo.

Así llegamos a un pequeño poblado afuera de San Salvador, donde como en Tegucigalpa, el poeta había construido su corte imperial, llena de condes y marqueses, duques y princesas de juguete. Rápidamente se rodeó de lo que el mundo llamaba desperdicio. Con los menesterosos reía y disfrutaba de una dimensión distante a la nuestra.

—Vámonos poeta —le rogué casi al punto de las lágrimas—, el mundo necesita de vos.

—En vida soy manantial seco —me dijo—, un pájaro moriría de sed en mis orillas. Será preciso morir para que mi alma sea manantial vivo, claro como un diamante. Una nube que cubra la desdicha de los que, como yo, nacerán en la basura.

No insistí más. Viéndolo comer de los desperdicios junto a su corte de mendigos, comprendí, que el poeta vivía ya en un mundo muy distinto del mío. Un mundo que tardaría cien años en comprender, o que quizás nunca comprendería.

44

A manera de despedida

San Salvador, octubre de 1908

Ayer, por la tarde, cayó un súbito chaparrón, lavando el cielo y la urbe calenturienta. El agua, sobre los techos, tocaba como sobre las teclas de un piano, una especie de música wagneriana, que place a los espíritus contemplativos. ¿Cuándo no gusta el rumor del líquido elemento? La orquestación de las cascadas, la voz acre del mar, la canturria del río, todo eso deleita a las almas que saben interpretar el idioma de la naturaleza.

Terminado el aguacero, las corrientes de agua monologaban por las calles, bulliciosas e inquietas, como colegiales al salir de un salón de clase.

Desde una ventana miro correr una. En frente, desde la suya, una fresca niña sonríe al agua del cielo. Y yo, viendo a los dos, móviles y alegres, traigo a la escena el pensar de Shakespeare: la mujer, pérfida como la onda. Y un decir de Salomón, de amarga y cruel sabiduría, como todas las ocurrencias de aquel sibarita de los sibaritas, que supo besar a las mujeres y decapitar a sus hermanos. Y algo de las divagaciones de los Santos Padres y de varias cartas de filósofos enemigos del amor de la mujer, entre los que, como lógico, están Shopenhauer y Nietzsche. Toda lo cual no vale lo que la clara risa y los amables ojos de esa fresca niña.

Pero el monólogo que va diciendo la corriente, poco a poco me sugestiona; y como sueño y fumo, fumo y sueño, termino por ponerme al habla con ella.

Yo: —Me parece que vas triste.

Ella: —Sí, tengo toda la melancolía de lo que voy arrastrando: un trozo de periódico, en que narra una horrible guerra; un billete amoroso, todo mentira; un dedal, que abandonó una Margarita por seguir a un Fausto ridículo; un décimo de la Lotería del Hospital y del Hospicio, que perdió su dueño y que ¡oh ironía! salió premiado con mil pesos; un rizo blondo de alguna pecadora; un calcetín lamentable... En fin, toda la tristeza de San Salvador...

Yo: —La corriente de mi alma lleva peores cosas que tú. Cadáveres de odio y de amores, recuerdos ahogándose, ripios de ciencia y de literatura...

Ella: —El hombre, para ser feliz, necesita conservar prístino el manantial del espíritu.

Yo: —¿Y cómo conservas prístino el manantial del espíritu?

Ella: —No abrevándose en los pozos del mal.

Yo: —¿Del mal?

Ella: —Del mal. O lo que tu llames el bien.

Yo: —No te comprendo. Por lo visto, has interpretado ya los obscuros enigmas de Enrique Ibsen y de Bjoernsjorne Bjoernson, esas esfinges escandinavas.

Ella: —He arrastrado alguna de sus sentencias. Pero, en verdad te digo que una flor tiene más sapiencia que los dos. ¿Por qué? Porque tiene su fragancia.

Yo: —De modo que la sabiduría consiste en dar algo de sí, aunque sea un perfume.

Ella: —En dar lo que nos dio la Madre Naturaleza, no el artificio.

Yo: —¿Tiene el hombre algún perfume?

Ella: —Tuvo, más la civilización se lo robó, estrujando a tan bello animal. Hoy no huele, pero en cambio hiede como alcantarillas.

Yo: —Me hablaste del mal. ¿Está acaso en toda la naturaleza?

Ella: —No. Solamente en el hombre. Todas las cosas ambientes que le rodean son puras.

Yo: —Por consiguiente, a pesar de las suciedades que arrastras, eres pura.

Ella: —Traigo la pureza del cielo y mañana tornaré a él.

Yo: —¿Cómo haría para subir a ese cielo?

Ella: —¿Por qué no te construyes uno? Oye: el deber de todo hombre es hacerse un cielo.

Yo: —¡Un cielo! ¿Y a quién pondré allí?

Ella: —A ti mismo.

Yo: —¿Seré, pues, el Dios de ese cielo?

Ella: —Serás. Todo hombre es el Dios del cielo que se construye. Tal ha sido el secreto y la fuerza de los grandes taumaturgos, desde Budha hasta Federico Nietzsche.

La sabia corriente iba agotándose por momentos, de modo que apenas se oía su voz. Una linda mujer, vestida de negro, flexible como una víbora, la cruzó de un pequeño salto, dejando ver sus primorosos botines. Después me sonrió, arrojándome una mirada sombría. Y pasó.

Yo: —¡Qué mujer!

Ella: —Es la muerte. O, por otro nombre, la Voluptuosidad.

Yo: —Dime, antes de desaparecer, ¿podría salvarme de ella?

Ella: —Es tarde ya. Sería preciso que tu alma fuese un

vivo manantial, claro como un diamante. Así te podrías convertir en nube.

Yo: —¿Qué es ahora, pues?

Ella: —Un manantial seco. O mejor, el cauce de un manantial. Un pájaro se moriría de ser en tus orillas.

La corriente se extinguió. El cielo de la tarde era limpio. La fresca niña cerró su ventana. La calle, lavada por la corriente lluvia, relucía de extremo a extremo. Y me dije: he aquí cómo, viendo correr un poco de agua sucia ocurriéronseme peregrinas cosas. La imaginación es madre de la filosofía. A veces.

Epílogo

En 1918 recibí una comunicación del doctor Carías Andino, indicándome que los restos del poeta Juan Ramón Molina serían repatriados al país: "Urge repatriar restos de Molina. Ruégole se haga cargo. M.c.a.".

Sin dudarlo hice mi viaje y llegué a San Salvador en pocos días.

Allí me recibió el joven escritor Salvador Turcios Ramírez, quien ejercía funciones oficiales del gobierno de Francisco Bertrand en aquel país. La primera cosa que le solicité fue que me llevara a conocer el lugar donde había muerto el poeta.

—Es un lupanar cerca de La Unión —me dijo.

—Sí, yo sé, pero quiero verlo.

Ni siquiera sabía si aún existía aquel lugar. Habían pasado casi diez años y lo más probable es que se hubiera ido con el tiempo. Pero allí estaba, quizá en las mismas deplorables condiciones con que Juan Ramón lo conociera.

Tomamos una mesa en la cantina *Estados Unidos*, que contrario a lo que creía, hacía referencia a la unión de dos distritos en las afuera de San Salvador. Era un día de mucho calor y el resplandor del sol rebotaba desde la calle.

—¿Sabe usted en qué mesa murió el poeta Molina? —pregunté a la mesera sin mucho protocolo.

—¿Quién?

—Juan Ramón Molina. Venía por acá muy seguido y murió en una de estas mesas —dije.

La mujer me miró por un momento buscando comprender

el sentido de mis palabras. Luego pidió permiso para retirarse y buscar a alguien que sí sabría darnos respuesta.

—Se terminó el plazo en el cementerio y sino pagamos lo van a sacar y colocarán sus restos en una fosa común —me dijo el joven Salvador Turcios.

—Eso tengo entendido.

—Es una pena que un hombre de su estatura terminara en un lugar como este y en esas condiciones —me dijo.

—¿Y en qué condiciones cree usted que debió haber terminado su vida?

—No sé, siendo reconocido por su labor literaria, dignamente.

Yo vi las manos finas del joven escritor y comprendí que, aunque venía de la misma ciudad del poeta, no compartían sino el pasaporte.

—Pues supongo que cada quien se muere como puede —dije.

Al rato entró una mujer de unos 35 años. Traía las manos húmedas y el cabello envuelto en una manta azul. Se acercó a nosotros y se presentó.

—¿Ustedes preguntan por el poeta?

—Sí, señora, nosotros.

—¿Y eran amigos de él?

—Yo sí lo era, de toda la vida —dije

—Pues es una pena que hasta ahora aparezcan. Seguro le habría venido bien un poco de amistad cuando estaba vivo —nos reprochó—. ¿Qué quieren saber?

—Quiero saber cómo murió.

La mujer pasó la vista por el pequeño salón, revisando

una por una las destartaladas mesas y sillas, como buscando algo familiar en ellas.

—Fue allá —dijo, señalando con la boca a la mesa de la esquina.

—¿Estaba usted con él? —preguntó Salvador.

La mujer se limitó a asentir con la cabeza sin apartar la vista de la mesa.

—Fue el día de los muertos. Él había estado todo el día hablando de poesía y de filosofía con otros amigos. Parecía feliz. En ese tiempo yo era la mesera de este bar. Él me decía «princesa»: «Venga, princesa, tráigame una copa, venga princesa, deme algo de comer», me decía. La dueña siempre me regañaba por meterme con él. Creo que a ella también le gustaba, pero él me prefería a mí.

—¿Con quién estaba?

—Otros borrachos de por acá y gente de San Salvador. Como era día de muertos, había mucha gente. Estuvo bebiendo todo el día. Al final de la tarde la gente comenzó a marcharse y él se quedó allí.

—¿Usted le dio la morfina? —preguntó Salvador.

La mujer guardó silencio por unos segundos y negó con la cabeza.

—No —dijo—. Eso lo traían de San Salvador. El poeta decía que tenía varios días de no dormir y cuando lo lograba, tenía pesadillas. Duermevela le decía a eso, por eso lo consumía, porque decía que le ayudaba a dormir.

—¿Quién se lo dio? —insistió en la pregunta el joven Salvador.

—No lo sé. Yo vi que se quedó dormido y no quise molestarle. Al terminar de limpiar las mesas antes de cerrar quise despertarlo, pero ya no vivía. Murió así —dijo—, colocando su cabeza sobre nuestra mesa, su brazo izquierdo bajo la frente y su brazo derecho colgando de un costado.

—Yo le quería mucho —comentó entre sollozos—. Era un hombre excepcional, bravo y suave a la vez.

Al salir de aquel bar, vi cómo la mujer tomaba de la mano a una pequeña niña de unos diez años de edad. La niña era delgada y linda, su cabello negro atado en cola y sus ojos verdes. No dije nada, no necesitaba decirlo. La vi y me pareció ver al poeta en su infancia.

Al día siguiente Salvador me llevó al cementerio general, donde se preparaba la exhumación de los restos Juan Ramón. Había unas cinco personas en total, contando a los dos enterradores que sacaban el ataúd del foso.

Llegamos hasta la tumba marcada con el número 1639, que guardó los restos de Juan Ramón por nueve años, cuatro meses y un día. Al abrir la bóveda vimos que el ataúd se había movido de lugar, como intentando escaparse.

—Debió haber sido por el terremoto —dijo un oficial de policía que hacía las veces de juez ejecutor—. Pasa muy seguido que las cajas brincan cuando se mueve la tierra. ¿Lo abrimos?

Yo asentí con la cabeza.

Lograron abrir el ataúd con cierta dificultad. Fue necesario usar una barra de metal para romper el empaque que se había formado con los años. Al crujir las bisagras y abrir la puerta, pude ver el cuerpo intacto del poeta que parecía dormir. Enorme fue mi sorpresa al verlo así, su piel incólume con al paso del tiempo, incorrupto. Fue hasta que entró en contacto con el aire cuando sus restos se desintegraron, dejando sólo el esqueleto con bigote, envuelto con un traje gastado y gris.

El oficial tomó el bigote con sumo cuidado y lo colocó primero en la pequeña urna donde el poeta regresaría a casa.

En el viaje, el poeta recibió los honores que nunca tuvo en vida. El primer sitio de arribo fue Amapala, donde el poeta Mario Rivas le dio la bienvenida en nombre de la sociedad portuaria.

Flores y discursos tapizaban el empedrado de la carretera del Sur, la misma que un día fue obligado a construir. Ancianas y niños ofrecían sus honores al hombre que cantaba a los grillos y a las mariposas. Así llegamos a Tegucigalpa, donde se le rindió homenajes durante cinco días con sus noches en el nuevo Teatro Nacional.

Después de las pompas fúnebres y las exequias, trasladamos al poeta al Cementerio General de Comayagüela. En el camino los curiosos se apilaban para ver pasar a un hombre que nunca moriría.

Yo pude ver, en el fondo, allá lejos de la fosa rodeada de altos funcionarios y diplomáticos extranjeros, a los amigos de Molina. No me costó reconocerlos; su corte real, una docena de mendigos y pordioseros que se arrodillaban, llorando, al ver partir al único príncipe que este país pariría.

FIN

Brimfield MA,
2 noviembre de 2014.

COMENTARIOS FINALES

Si bien cuenta con un estudio histórico, la novela *El pescador de Sirenas* no pretende ser una biografía del poeta Juan Ramón Molina sino un retrato de la vida poética del bardo. Su base está en los autores hondureños que antes hablaron de su vida y muerte. Busca acercanos a la vida poética de Molina. Recomiendo, para mejor estudio, revisar los textos: *Lo que dijo don Fausto (Aporte a la biografía de Juan Ramón Molina)* de Arturo Oquelí; *Habitante de la Osa Mayor* de Eliseo Pérez Cadalso; *Memorias y apuntes de viaje* y *Anecdotario hondureño* de Froylán Turcios; *Gobernantes del Siglo XIX, Gobernantes del Siglo XX* y *El golpe de Estado de 1904* de Víctor Cáceres Lara; *Historia de Honduras* de Medardo Mejía; *Nací en el fondo azul de las montañas hondureñas* de Marta Reina Argueta; así como de los textos publicados por el propio Juan Ramón Molina en distintos diarios y revistas a principios de siglo, recopilados por Turcios en *Tierras, Mares y Cielos.*

Éste libro, es una invitación para seguir explorando la vida y obra de este y otros autores que marcaron y siguen marcando nuestra Historia.

El autor

Impreso en Estados Unidos
para Casasola LLC
Primera Edición
MMXIX ©